DE ZOMER VAN DE S

JUTTA RICHTER

De zomer van
de snoek

lannoo

Het was zo'n zomer waar geen einde aan kwam.

En dat het onze laatste zou worden, had toen niemand geloofd. We kónden het gewoon niet geloven. Zoals we ook niet konden denken dat het ooit weer winter zou worden, bitterkoud, volop sneeuw en een dikke ijslaag op de gracht.

Het was zo'n zomer waar geen einde aan kwam. Het begon al in mei. De zon scheen elke dag. De pioenrozen stonden in de knop en plots ploften de kaarsen van de kastanjeboom open. Een gele gloed lag over het koolzaadveld en boven ons gleden gierzwaluwen door de oneindig hoge hemel.

Alleen het water had nog zijn winterkleur: zwart en ondoorzichtig. Maar als we lang genoeg over de stenen brugleuning hingen, konden we toch de kleine rietvoornvisjes herkennen, die zich net onder het wateroppervlak koesterden in de zon.

'Waterogen', zei ik. 'Als je lang kijkt, krijg je waterogen.'

'Klopt', zei Daniël.

'En dan kun je erdoorheen kijken en de grond zien. En daar zit de snoek!'

Lucas was erg opgewonden en zijn stem klonk hoog en luid.

'Natuurlijk! En als we de snoek zien, hebben we alleen nog een vislijn en een snoekhaakje nodig.'

'Dromer', zei Daniël. 'Je moet ook een vangnet hebben en een schepnet!'

'Waarvoor dan?'

'Het vangnet voor de aasvis en het schepnet om de snoek op te halen. Anders trekt hij je vislijn stuk.'

'En de aasvis?'

'Om hem te lokken', zei Daniël en hij spuwde in het water. De kleine rietvoorns zwommen nieuwsgierig dichterbij. Plots stoven ze uit elkaar en waren ze verdwenen.

'Daar is hij!' riep Lucas.

En ja, in een flits had ook ik, net onder het wateroppervlak, de zilveren visbuik gezien. Toen dook de snoek weer de zwarte, ondoorzichtige diepte in.

Boven ons fladderde krassend een zwerm kraaien en twee meerkoeten doken schuddekoppend onder de brug door. De zon verwarmde onze rug, en toen het water weer glad en rustig was, zei Daniël: 'We pakken hem! Want wie waterogen heeft, kan ook snoeken vangen!'

Hengelen mocht niet. Aan de bomen langs de oever hingen bordjes: verboden te vissen. Elke overtreding wordt bestraft. De eigenaar.

'Merkt hij toch niet', zei Daniël.

'En als de graaf komt? Of de opzichter? Of iemand anders?' vroeg Lucas.

'Dan zitten we toch gewoon op de brug! De vislijn is doorzichtig, de rol past in je hand. Je maakt gewoon een vuist en niemand die iets ziet.'

'En mama? Mama wil ook niet dat we hengelen!' zei Lucas.

Daniël zei niets meer en staarde naar het zwarte water.

Bij het huis van de opzichter knalde een schot en de torenkraaien vlogen sakkerend over het rode dak.

Lucas schoof dichterbij.

'Weet je dat de hobbelhen vier kuikens heeft?' vroeg hij zacht. 'Die zijn eergisteren pas uit hun ei gekropen. Daniël heeft ze nog niet gezien, maar ik wel! En mama heeft gezegd dat ze een keer mee zou gaan en er eentje voor me zou vangen en dan mag ik het vasthouden... Zal ik jullie die kuikens eens laten zien?'

Ik knikte.

'Kom, kerel. Je broer laat ons de hobbelkuikens zien!'

Daniël verroerde zich niet.

'Ik wil geen kuikens', mompelde hij. 'Ik wil de snoek! Kuikens kijken is kinderkak!'

'Kuikens kijken is kinderkak!' aapte Lucas hem na. 'Mijn stomme broer wil niet mee!'

De pauwhen had maar één poot. Een nare herinnering, die van de vorige zomer was overgebleven. Telkens als de pauwhen over de binnenplaats hobbelde, moest ik denken aan toen. En dan schaamde ik me. Want eigenlijk was het mijn schuld dat die hen nog maar één poot had. Ik was tenslotte de oudste.

Gisela moest toen naar het ziekenhuis en ik had beloofd dat ik voor de jongens zou zorgen. Niet zoals anders, een uurtje helpen bij hun huiswerk. Nee, écht zorgen dat Daniël en Lucas 's middags niet alleen waren tot Peter thuiskwam van zijn werk.

De middagen waren lang en we doodden de tijd met het vangen van rietvoorns. Die kleine, domme visjes kon je lokken met wat brood. Liefst witbrood, lekker vers witbrood. En dat was er in de broodtrommel van Gisela's keuken meer dan genoeg. Want elke avond bracht Peter een vers witbrood mee naar huis, in zijn boekentas. Dat had Gisela hem gezegd, voor ze weg moest.

'En vergeet geen brood mee te brengen voor de jongens! En denk eraan: witbrood eten ze het liefst! Niet vergeten!'

Waarschijnlijk was Peter behoorlijk pissig geworden als hij had geweten dat we de helft van zijn brood aan die stomme vissen voerden, maar hij vermoedde niets. Integendeel: hij was 's avonds altijd blij dat er geen kruimel meer over was. Ik moest stiekem lachen en bedacht hoe dom vaders toch zijn als ze niet eens weten dat twee jongens nooit een heel brood op kunnen krijgen.

Het vangen van rietvoorns bleek toch niet zo makkelijk als ik had gedacht. Met een emmer lukte het ons niet.

We hadden de emmer aan Gisela's groene waslijn gebonden en hem tot net onder het wateroppervlak laten zakken. Toen wierpen we stukjes brood in het water. Telkens als het water opborrelde omdat de rietvoorns gulzig naar het brood hapten, trokken we de emmer op. Maar telkens weer waren we te laat. De rietvoorns stoven uiteen en de emmer bleef leeg.

'Noem je dat vissen?' meesmuilde Daniël. 'Zo heb je over honderd jaar nog geen rietvoorn gevangen! Alleen vrouwen kunnen zoiets stoms bedenken!'

Hij mikte wat snot in het water.

'Heb jij dan een beter idee?'

'Ja zeker', zei Daniël. Hij graaide in zijn broekzak en legde een bol nylontouw op het muurtje. Uit zijn andere zak haalde hij een kleine vishaak met een scherpe punt. Hij begon het doorschijnende touw door het oog van de haak te steken, wikkelde het einde vijfmaal rond het touw en trok de draad aan.

'Hoe kom jij aan die haak?' vroeg ik.

'Geruild', antwoordde Daniël en hij schoof een bolletje witbrood op de haak.

'Maar dan ben je aan het hengelen en dat mogen we niet', zei Lucas.

Daniël liet het touw in het water glijden.

'En als iemand ons betrapt?' vroeg Lucas.

Ik legde mijn arm om hem heen en we keken naar het water. De kleinste rietvoorns kwamen meteen aanzwemmen en begonnen aan het brood te sabbelen. Opeens schoot er een groter exemplaar op af, die gulzig het hele broodbolletje opschrokte. Daniël vierde het touw voor hij het met een scherpe ruk weer aantrok. Het touw spande zich en we zagen hoe de rietvoorn probeerde weg te duiken. Hij sloeg met zijn staart, sleurde en trok, maar zat vast aan de haak.

Een vis aan een lijn, dacht ik. Zoals een hond.

'Ophalen!' riep Lucas.

En Daniël trok. De rietvoorn spartelde wild, kromde zich en sloeg met zijn staart.

Lucas greep ernaar, maar de vis floepte door zijn vingers en schoot door de lucht. Tot Lucas opnieuw greep en ditmaal beetpakte.

'En nu?' vroeg ik.

'Nu moeten we de haak losmaken', zei Daniël.

'Doe dat dan, snel!'

'Ik raak hem niet aan', zei Daniël.

'Lafbek!'

Met zijn duim en wijsvinger sperde Lucas de bek van de vis open. De haak had zich vooraan in de bek geboord. Lucas nam de haak en schoof hem naar achteren. We hoorden een zachte knak toen hij vrijkwam. De rietvoorn spartelde niet meer. Hij zag er tamelijk dood uit.

'Die is er geweest', zei ik. 'Gooi maar terug!'

Heel even lag de rietvoorn roerloos in het water. Toen bewoog hij ineens zijn staart en dook hij weg in de duisternis.

Lucas' handen waren slijmerig en roken naar vis. Hij veegde ze af aan zijn broek.

'Als vissen stress hebben, geven ze altijd slijm af', zei Daniël.

Dat is hun angstzweet, dacht ik. Glibberig worden is hun enige kans. Als ze goed glad zijn, glijden ze zelfs de bek van een reiger weer uit. Maar het was ook een beetje akelig en eigenlijk had ik niet veel zin meer om nog te vissen.

'Zullen we wat anders gaan doen?' stelde ik voor. 'Wat denken jullie van pijltjes gooien?'

'Ben je gek?' zei Lucas. 'Nu we eindelijk de slag te pakken hebben, heb jij geen zin meer!'

'Maar ik vind het niet leuk', zei ik. 'Die haak doet de vis vast pijn. Eigenlijk is het dierenmishandeling!'

'Onzin!' zei Daniël. 'Je hebt toch gezien hoe vrolijk hij wegzwom. Hij weet niet eens meer dat hij heeft toegehapt. Vissen hebben geen geheugen.'

En geen stem, dacht ik. Vissen kunnen ook niet schreeuwen.

Daniël probeerde het nylontouw weer los te wikkelen. Maar dat lukte niet, want het zat in de war. Hij vloekte zachtjes. Toen nam hij zijn zakmes en sneed het verwarde stuk er gewoon tussenuit.

Toen Gisela uit het ziekenhuis kwam, lag de binnenplaats van het kasteel vol stukjes nylontouw. Want we hadden echt elke middag zitten hengelen. Die rare koorts had zelfs mij te pakken gekregen: ook ik kreeg een kriebel in mijn buik als we de haak met het brood in het water lieten dansen en die stomme rietvoorns zich daarop stortten. Zouden ze bijten? Of zouden ze weer alleen het brood afsabbelen?

En toen was het dus fout gegaan met de pauwhen.

Zolang ik me kon herinneren, leefde het pauwenpaar al op de binnenplaats van het kasteel. De haan noemde we Paultje, en als ik 's winters het raam opendeed, kon ik hem zelfs van het dak roepen. Dan zette hij zich af en vloog wat onbeholpen over de gracht. Want hij wist dat ik maïskorrels zou strooien. De hen was schuw en kwam altijd een beetje later. Ze at ook niet uit mijn hand.

Tijdens zomernachten sliepen de pauwen in de oude kastanje. Ze schreeuwden de stilte stuk als een vreemd geluid hen wekte: een lach of een lied of iemand die hoestte of de stappen van een verliefd paartje bij vollemaan.

Lucas had haar poot het eerst gezien. Toen ik van school kwam, zat hij voor de deur op me te wachten.

'De hen is ziek', zei hij. 'Ze hobbelt en haar ene poot is helemaal zwart. Kom mee, dat moet je zien!'

We liepen naar het zuidelijke weitje, waar het pauwenpaar overdag naar wormen zocht. Ik had een handvol maïskorrels meegenomen. En we riepen Paultje en Paultje kwam. En achter hem aan, aarzelend en achterdochtig, kwam ook de pauwhen. Toen ze vlakbij stond, zag ik wat er was gebeurd: het dunne, doorzichtige hengeltouw had zich vast om haar poot gewikkeld. Haar voet was helemaal zwart en haar tenen hingen slap en levenloos naar omlaag. Ze sleepte met de zieke poot en hupte op haar andere poot vooruit.

Lucas hield mijn hand stevig vast.

'Dat is ons hengeltouw', fluisterde hij. 'We moeten iets doen!'

Drie middagen lang probeerden we de hen te vangen. Met netten en dekens en stukjes brood en maïskorrels. Maar de hen was sneller dan wij. Ze fladderde telkens weer luid krijsend over de gracht. Op de derde middag werden we door de opzichter betrapt.

Opeens stond hij voor ons, alsof hij daar ter plekke uit de grond was opgeschoten. Zware jachtlaarzen en een groene kniebroek, de handen op de heupen. Met zijn woedende visogen keek hij op ons neer. Toen barstte hij los. Wat we wel dachten! Of we ons verstand kwijt waren! Hoe we het durfden, op de pauwen van de graaf te jagen! En de volgende keer zou hij onze ouders schriftelijk op de hoogte brengen dat we nooit meer op het zuidelijke weitje mochten komen! Daar konden we van opaan!

Hij had niet eens gezien dat de hen een zieke poot had. En we konden het hem niet vertellen omdat we dan moesten toegeven dat we gehengeld hadden. En natuurlijk ook omdat we bang voor hem waren.

Toen hij weg was, gooide Daniël zich huilend op de grond. Ik had hem nog nooit zo zien huilen. Zijn schouders schokten en hij snikte luid in het gras.

'Dat was mijn hengeltouw! Het is mijn schuld! Mijn schuld als ze doodgaat!'

'Ach nee', zei ik. 'Het was een ongeluk! Daar kun jij niks aan doen!'

'Jawel!' snikte Daniël en hij sprong op. 'Het is altijd mijn schuld!' riep hij. Hij rende weg.

'Zou ze echt doodgaan?' vroeg Lucas en hij zocht mijn hand.

Ik wist het niet. Ik wist alleen dat er een schaduw over de zomer was gevallen en dat ik die schaduw nooit zou vergeten.

We hengelden niet meer. En toen het herfst werd, was de pauwhen een hobbelhen geworden. De zwarte tenen waren eraf gevallen. Maar ze leefde nog.

En nu had ze dus vier kuikens. En Daniël wilde niet naar de kuikens gaan kijken en ik was woedend.

'Op mama hoef je in elk geval niet te rekenen, die doet nooit wat ze belooft!'

'Doet ze wel!' zei Lucas.

'Doet ze niet!' Daniël trapte tegen de muur. 'Doet ze niet! Doet ze niet! Doet ze niet!'

Ik begreep wat hij bedoelde. En ik wist ook dat niet alles meer was zoals vroeger. Maar niemand die ons iets uitlegde. Ze zeiden alleen dat Gisela het een beetje kalm aan moest doen, dat ze die domme dinges had en dat de dokters die wel onder controle zouden krijgen.

Als we vragen stelden, haalden de volwassenen hun schouders op en zeiden: het komt wel in orde. Maken jullie je maar geen zorgen, het komt wel in orde.

Maar ze zeiden het met zo'n vreemde ondertoon en vroegen dan snel hoe het op school ging en of we ons best wel deden.

Sinds begin mei ging Gisela niet meer naar haar werk. Terwijl ze alleen maar de binnenplaats hoefde over te steken. Dertig passen naar het kantoor van de opzichter. Dertig passen die ze sinds onze geboorte elke morgen had gezet. Vanachter het kantoorraam had ze naar ons gezwaaid als we terugkwamen van de kleuterschool. Ze zwaaide als we 's middags in de zandbak speelden en ze zwaaide als op mistige novemberdagen onze rekensommen niet wilden vlotten.

Dertig passen, zolang wij leven. Altijd gehaast en buiten adem en haar stappen heel groot. Alsof ze anders te laat zou komen: te laat op haar werk, te laat thuis, te laat op de hardlooptraining, de ouderavond, het verjaardagsfeestje. Altijd moest ze ergens heen, nooit had ze tijd.

En nog hoor ik haar stem, hoe ze Daniël roept: 'Daniël, kom nu eindelijk naar binnen! En breng je broer mee!' En dan wordt ze boos, omdat ze allebei naar vis ruiken. 'Houdt dat nu nooit eens op? Moeten jullie echt altijd die vissen pakken? Ga onmiddellijk jullie handen wassen! En grondig!'

'Ze heeft een ziekenbriefje', zei mijn moeder. 'Het komt wel in orde, daar hoeven jullie je het hoofd niet over te breken!'

Maar dat deden we wel.

Die middag zaten we in onze klimboom en we vroegen ons af wat dat betekende: een ziekenbriefje hebben. Tussen onze

15

zinnen lieten we lange stiltes vallen, en in die stiltes telde ik de vlekjes zon die door het bladerdak schemerden.

We vonden het niet eerlijk dat Gisela een ziekenbriefje had. Daniël zei: 'Als ik kon, gaf ik mama een weerbeterbriefje.'

'Dan is alles weer als vroeger', zei Lucas. 'Dan hoeft mama niet meer in bed te liggen en wordt ze ook weer boos op ons!'

Daniël trok een tak van de boom en sloeg daarmee tegen de stam. De blaadjes vlogen ons om de oren.

'Hou daarmee op!' zei ik.

Maar Daniël hield niet op.

'Zie-ken-brief-je!' lachte hij en hij sloeg de maat op de boom. 'Zie-ken-brief-je! Zie-ken-brief-je!' De tranen liepen over zijn wangen en ik wist niet of het van het lachen was of van het huilen.

Op acht mei sprongen de koolzaadknoppen open. 's Morgens, voor we naar school gingen, was alles nog zoals altijd: een kleine nevelsliert boven de gracht, de blauwe reiger bij zijn boom op jacht, de rode beuk bloedrood in de ochtendzon en overal, overal het matgroene koolzaadveld.

Voor de basisschool stond onze bus al te wachten.

'Tot vanmiddag', riep Lucas en hij rende over het schoolplein.

Daniël en ik stapten in.

We hadden ook een latere bus kunnen nemen, maar dat wilde Gisela niet.

'Jullie gaan samen en daarmee basta! Een voor allen en allen voor een!'

En dat was eigenlijk wel goed, want in de tweede bus was het altijd te druk en te luid.

Daniël zei niets. Hij was 's ochtends altijd bleek en moe. Hij zat naast me en rook naar slaap. Ik wist dat hij nog aan het dromen was en dat ik hem met rust moest laten.

De bus reed langs landerijen, hagen, knotwilgen en paardenweiden. Soms zagen we reeën in de velden grazen.

De boerderijen waren groot en lagen nogal verspreid. De boerenkinderen die er woonden, hadden dubbele namen: Schulze-Horn en Schulze-Wettering en Schulze-Eschenbach, en ook hun voornamen klonken anders dan de onze: Marie-Therese, Anna-Sofia, Hubertus...

Met de dorpskinderen hadden de boerenkinderen altijd ruzie, maar ons vielen ze niet lastig. Want wij waren kasteelkinderen.

'Kasteelkinderen zijn bijzonder', had Gisela gezegd. 'Denk daaraan en gedraag jullie! Je neemt alleen een stuk koek als iemand zegt dat dat mag, en je vraagt of je kunt helpen. Onthoud dat!' Ze had Daniël een tik gegeven en gezegd: 'En wees niet altijd zo ongemanierd, neem een voorbeeld aan je broer! Je bent beleefd en zegt vriendelijk goedendag als je ergens binnenkomt!'

'Je moet niet altijd zo streng zijn', had mijn moeder gezegd en ze had haar arm om Daniël heen geslagen. 'Hij is gewoon een beetje verlegen, dat groeit er wel uit.'

Daniël was rood geworden en ik had me voor mijn moeder geschaamd. Daniël was niet verlegen. Hij zei alleen niet veel. Maar wat hij zei, was belangrijk.

Grote mensen deden altijd alsof ze ons door en door kenden. Maar ze hadden totaal geen idee. De boerenkinderen speelden niet met ons omdat wij kasteelkinderen waren, en de dorpskinderen konden ons niet uitstaan omdat de boerenkinderen ons met rust lieten. Maar dat vertelden we aan niemand, en zeker niet aan de grote mensen. Die zouden dat toch niet begrijpen. We waren met ons drieën en dat was genoeg.

De schoolbus werd steeds voller. We zaten op onze vaste plaatsen, net achter de chauffeur. Daniël keek uit het raam en droomde. Bij de boerderij van Schulze-Wettering lag een dode kat aan de kant van de weg. Daniël gaf me een por.

'Heb je dat gezien?'

Ik knikte.

'Als dat die van mij was, zou ik huilen. Maar zij lacht!' Hij knikte in de richting van Anna-Sofia. En ja, Anna-Sofia Schulze-Wettering hield haar hoofd dicht bij dat van Marie-Therese en ze giechelden.

'Misschien was het haar poes niet', zei ik.

'Wedden?'

Daniël draaide zijn hoofd weg en keek weer uit het raam.

Ik wist dat hij woedend was, want hij wilde zelf zielsgraag een kat. Maar Peter hield voet bij stuk: 'Hou er nu over op! Je moeder kan niet tegen kattenhaar! Zolang ze ziek is, komt er geen dier in huis! En zeker geen kat!'

Toen we de boerderij van Schulze-Eschenbach voorbij waren, zei Daniël opeens: 'Ze wordt kaal.'

'Wie?'

'Mama.'

Ik kromp ineen. 'Onzin!'

'Ik heb het zelf gezien. Als ze over haar hoofd wrijft, komen de haren zo mee!'

Gisela's haren. Echte sneeuwwitjeharen, lang en bruin. Vroeger droeg ze die altijd in een vlecht, die op haar rug wipte als ze over het plein liep. Nu droeg ze meestal een sjaaltje om haar hoofd, maar ik dacht dat ze dat mooi vond. Moeders proberen zo vaak iets nieuws. Mijn moeder had al vier weken rode haren, van dat brandweerrood, ze leek op de man uit de ketchupreclame. Zelf zou ik nooit zo rondlopen, maar zij dus wel.

'Dat geloof ik niet', zei ik. 'Dat denk je maar. En hou er nu alsjeblieft over op!'

'Ik heb het gezien', zei Daniël zacht en toen zei hij niets meer.

Toen we die middag uit school kwamen, waren de koolzaad-knoppen opengesprongen. Al van ver zagen we het veld oplichten. Voor ons waren dat de mooiste kleuren van de wereld: koolzaadgeel, bloedbeukrood en daarboven dat diepe blauw van de hemel.

'Als je daarnaar kijkt, word je vanzelf vrolijk', had Lucas eens gezegd. En zo was het ook.

Maar vandaag niet. Want ik moest aan Gisela's haren denken en ik was bang.

Mijn moeder stond in de keuken te strijken.

'Hoe was het op school?'

'Goed!'

Mijn moeder lachte. Al jaren speelden we hetzelfde spel: elke middag dezelfde vraag, elke middag hetzelfde antwoord. We noemden dat het hoewashetopschoolgoed-spel. Mijn moeder had me verteld dat mijn oma die vraag ook elke middag had gesteld. 'O, wat haatte ik dat als kind', had mijn moeder gezegd.

'Waarom vraag je het dan aan mij?'

'Omdat ik je moeder ben en alle moeders die vraag stellen!'

Ze streek verder en ze lachte en haar vuurrode haren glansden in de zon.

'Mama? Wordt Gisela kaal?'

Ik zag dat mijn moeder schrok. Ze zette het strijkijzer weg.

'Hoe weet je dat?'

'Van Daniël.'

Ze ging op de bank zitten. 'Kom eens hier, mussie.'

Ik ging naast haar zitten. Ze nam een sigaret uit het pakje, stak die aan en blies de rook door haar neus weer uit. Ik wachtte tot ze iets zou zeggen, maar ze trok alleen een serieus gezicht en rookte snel. Het was zo stil dat ik het getik van de klok in de woonkamer kon horen. Een vlieg zat tegen het raam te zoemen en af en toe siste een straaltje stoom uit het strijkijzer.

Mijn moeder schraapte haar keel.

'Goed dan', zei ze. 'Ik zal het je uitleggen, maar je moet me beloven dat je het niet tegen Daniël zegt. En zeker niet tegen Lucas.'

Ik slikte en knikte en kon mijn hart horen kloppen.

'Gisela heeft kanker', zei mijn moeder zacht. 'Dat is een heel erge ziekte, mussie. En de dokters proberen die ziekte uit Gisela's lichaam te verjagen, met een soort gif. Maar dat gif is zo sterk dat haar haren ervan uitvallen. Het gif is zo sterk dat Gisela zich slecht voelt. Dat ze moet overgeven en in bed blijven.'

'Maar ze wordt toch weer beter, mama?'

Ik zag hoe mijn moeders ogen vol tranen liepen.

'Ik hoop het', zei ze. 'En Gisela hoopt het. En de dokters hopen het ook. Veel mensen met kanker zijn weer genezen. En dat haar,' zei mijn moeder, 'dat groeit dan ook wel weer. Maar je moet me beloven dat je hun niets vertelt. Gisela wil het niet en Peter ook niet! Oké?'

Ik knikte nog eens.

Er is een vroeger, er is een later en er is een nu.

Dat nu, dat was de keuken, het sissende strijkijzer, mijn rokende moeder met tranen in haar ogen en de streep zonlicht die door het raam op de keukentafel viel. Dat nu was het moment waarop ik wilde dat ik niets had gevraagd.

Wees toch niet altijd zo nieuwsgierig. Dat hoeven kinderen niet te weten. Dat zijn jouw zaken niet. Dat zul je snel genoeg ondervinden!

Dat nu was het moment waarop ik wilde dat ik weer een klein kind was. Op de schoot van mijn moeder in slaap vallen. Of in de keuken van mijn oma een bedje maken van twee tegen elkaar geschoven stoelen. De grote mensen zitten aan tafel en vertellen over vroeger. Vertellen weetjenogtoen-verhalen. Toen oom Ewald de kleine gouden viool uit de kerstboom had gestolen en daarom als kerstcadeautje alleen stro had gekregen. Alleen stro! En mijn dikke oom Ewald met zijn sigaar lacht, alsof niets ter wereld grappiger is dan een strooien cadeautje op kerstavond. En ik lig in mijn bedje op twee stoelen en hun verhalen prevelen me in slaap.

'Veel mensen met kanker zijn weer genezen!' had mijn moeder gezegd.

Maar ik wist dat dat een leugen was. Iedereen met kanker was doodgegaan: mijn oma was dood en dikke oom Ewald met zijn sigaar en zelfs mijn eerste cavia. Niemand was weer genezen als het woord kanker eenmaal was gevallen.

Dat cavia's niet eeuwig leven is duidelijk, maar van moeders mag je toch verwachten dat ze wachten met sterven tot hun kinderen groot zijn, dacht ik.

En ik was in de war en bang en had het liefst de sigaret uit mijn moeders hand geslagen. Want op het pakje stond toch: roken veroorzaakt kanker. Maar misschien was ook dat gelogen, want Gisela had nooit gerookt.

Op acht mei sprongen de koolzaadknoppen open. 's Morgens, voor we naar school gingen, was alles nog zoals altijd en nu had Gisela kanker.

De snoekhaak had drie scherpe punten en was vier keer zo groot als de rietvoornhaak. Daniël vouwde zijn zakdoek voorzichtig open en legde de haak op de stenen brugleuning.

'Dat meen je niet!' zei ik.

'En of!'

'En het schepnet? En het vangnet?'

'Hebben we volgende week.'

'Van wie?'

'Je moeder heeft het beloofd. Ze brengt me naar de hengelwinkel.'

'Geloof ik niets van!'

'Vraag het haar dan!'

Ik liep naar huis en trok de deur open. Mijn moeder lag op de sofa. Ze sliep haar middagslaapje. Ik schudde haar wakker.

'Hemeltje, wat is er nu weer aan de hand?'

'Dat mag je niet doen!' hijgde ik. 'Dat mag je echt niet doen!'

'Wat mag ik niet?' vroeg mijn moeder geërgerd.

'Met Daniël naar de hengelwinkel gaan! Dat mag niet! Hij wil toch alleen maar een schepnet kopen en een vangnet!'

'Nou en? Waarom zou dat niet mogen? Hij heeft er toch voor gespaard! Als jij een beetje zou sparen, zou je ook iets kunnen kopen!'

'Daar gaat het toch niet om!' brulde ik. 'Je begrijpt er helemaal niets van!'

'Een andere toon alsjeblieft!' De stem van mijn moeder werd gevaarlijk zacht. Een toonloos gefluister, het leek wel het sissen van een slang. Ze sprak heel duidelijk en ik wist dat ze woedend was. Maar dat kon me nu niets schelen.

'Hij wil toch alleen maar ...', brulde ik.

Maar mijn moeder snoerde me met een snelle beweging de mond.

'Uit mijn ogen!' fluisterde ze. 'En schaam je! Schaam je voor je jaloezie!'

In mijn kamer gooide ik me op bed. En toen pas begon ik te huilen. Ik was niet jaloers, ik wilde alleen niet dat Daniël de snoek zou vangen.

Als hij een schepnet had, zou hij hem uit het water halen. En als hij hem te pakken had, zou hij hem doodmaken. Doodslaan. En dat wilde ik niet!

Terwijl Daniël en Lucas rietvoorns vingen, zat ik in onze klimboom kwaad te zijn. Kwaad op Daniël, kwaad op mijn moeder en op de hele wereld. En voor het eerst in mijn leven wilde ik dat ik een vriendin had. Een vriendin zoals Anna-Sofia Schulze-Wettering, met wie ik kon giechelen en fluisteren en de koppen bij elkaar steken. Een vriendin met wie ik in het hooi kon liggen en aan wie ik alles kon vertellen. Alles over Gisela en de snoek en dat mensen met kanker altijd doodgaan.

Iemand zoals Anna-Sofia Schulze-Wettering, die wist hoe het leven in elkaar zat, hoe het zat met geboren worden en sterven. Had ze niet al honderden keren kalfjes geboren zien worden en varkens geslacht? Iemand zoals Anna-Sofia Schulze-Wettering, die zou het antwoord wel kennen op mijn vragen en niet meteen beginnen te huilen. Om haar dode kat had ze toch ook niet gehuild?

Vanuit de klimboom kon ik de binnenplaats overzien. Ik zag hoe Peter thuiskwam. Onder zijn arm had hij zijn boekentas en hij slofte een beetje, zoals Daniël.

'Die valt nog eens over zijn eigen voeten', had Gisela altijd tegen mijn moeder gezegd toen we nog klein waren, en als Daniël dan in huilen wilde uitbarsten, had ze gelachen en hem Daniëlla genoemd – met een langgerekte a.

Peter haalde zijn huissleutel uit de zak van zijn jas en draaide hem om in het slot. Toen hij de deur opendeed, kon ik heel even Gisela zien. Ze stond in de gang en omhelsde hem. Ik zag dat ze echt geen haar meer had.

Ik klom uit de boom en haalde mijn fiets uit het schuurtje.

Vroeger hadden we 's middags vaak fietstochten gemaakt, Gisela en mijn moeder en Daniël en ik. Lucas had voorop bij Gisela in een kinderstoeltje gezeten, omdat hij nog niet kon fietsen. Maar Daniël en ik konden het wel, zonder handen zelfs en snel, veel sneller dan de anderen. Ik kende elke kuil in de bosweg, ik wist wanneer ik moest remmen om de slagbomen te vermijden.

'Ze rijdt als een jongen', had Gisela gezegd en mijn moeder had gelachen en geknikt en toen hadden ze samen gezongen, Gisela en mijn moeder, tweestemmig en luid: 'We all live in a yellow submarine' en 'Killing me softly with his song' en 'Geen mooier land in deze tijd'.

En Daniël had stiekem met zijn ogen gerold, gekke bekken getrokken en gedaan alsof hij moest kokhalzen, zo pijnlijk had hij het gevonden.

Net voor de boerderij van Schulze-Wettering was mijn moed op. Ik had gefietst als een gek en intussen nagedacht over wat ik zou zeggen. Ik zou aanbellen en als mevrouw Schulze-Wettering de deur opendeed, zou ik vragen of Anna-Sofia thuis was. En mevrouw Schulze-Wettering zou lachen en zeggen: 'Kom toch binnen, Anna-Sofia zal blij zijn!'

Maar misschien zou het ook helemaal anders gaan. Misschien zou hun waakhond naar me toe vliegen en zou Anna-Sofia's oudere broer uit de schuur komen en 'Maak dat je wegkomt!' roepen. 'Jij bent toch dat meisje van het kasteel? Ophoepelen!'

En ik wist eigenlijk ook niet wat ik tegen Anna-Sofia moest zeggen. We hadden nog nooit met elkaar gepraat en ik kon toch niet gewoon zeggen: 'Anna-Sofia Schulze-Wettering, wil je mijn vriendin zijn?'

Toen ik over onze brug terugfietste, zaten Daniël en Lucas nog steeds te hengelen. Lucas liep me tegemoet. Zijn ogen blonken van vreugde.

'Kijk eens wat wij gevangen hebben!'

Naast Daniël stond Gisela's groene poetsemmer halfvol water en het water borrelde alsof het zou gaan koken. Ik telde zeventien rietvoorns.

'Die heb ík allemaal van de haak gehaald!' lachte Lucas. 'Want dat durft mijn broer niet. Die heeft een hekel aan hun slijm. Zonder mij zou hij nog geen enkele rietvoorn hebben!'

Hij wilde me aanraken, maar ik deinsde achteruit: 'Blijf met die stinkende visvingers van me af! Ik vind jullie gewoon walgelijk!'

Lucas staarde me verbijsterd aan. Zijn ogen blonken niet meer. Hij liet zijn hoofd zakken.

'Jullie mogen niet eens hengelen!' zei ik. 'Ik ga het de opzichter vertellen!'

Daniël trok langzaam zijn haak uit het water, draaide zich toen om en legde zijn arm om Lucas' schouder.

'Laat mijn broer met rust!' zei hij zacht. 'En vertel het gerust aan de opzichter. Wij mogen wél hengelen. Sinds gisteren. De graaf is bij mama op bezoek geweest en hij heeft gezegd dat het mocht!'

Ik was woedend, schoof mijn fiets in het schuurtje en ging naar binnen.

Ze zaten aan onze keukentafel en even dacht ik dat alles weer zoals vroeger was.

Mijn moeder lachte, Peter grijnsde en Gisela roerde suiker door haar thee.

Zo hadden ze vroeger vaak samen gezeten, op vroege zomeravonden als Peter terug was van zijn werk. Ze hadden gepraat, hadden bier en aardbeienbowl gedronken en soms hadden ze ons zelfs laten proeven. 'Een heel klein slokje maar, anders worden jullie dronken!' En natuurlijk hadden we dat niet geloofd, want de aardbeienbowl smaakte naar limonade.

Mijn moeder lachte, Peter grijnsde en Gisela roerde suiker door haar thee. Ik bleef in de deuropening staan. 'Kom toch eens hier, meisje! Dat ik je eens goed vastpak!' zei Gisela. 'Ik heb je al zo lang niet meer van dichtbij gezien!'

Het sjaaltje om haar hoofd was donkerrood met kleine zwarte bolletjes en ze had het opgebonden als een tulband. Ik had haar graag gevraagd of ze me kon laten zien hoe je zo'n tulband maakt, maar ik durfde niet. Ik durfde ook niet naar haar toe te gaan en haar te omarmen, dus ik stond daar maar en iedereen keek naar mij en mijn moeder zei: 'Wees toch niet zo onbeleefd.'

'Wat is er met je?' vroeg Gisela. 'Jij bent anders toch niet zo verlegen?'

Het liefst was ik onzichtbaar geworden, maar ik werd rood en hoopte dat ze het niet zouden merken. Maar ze merkten het wel en mijn moeder lachte nerveus en zei snel dat het de puberteit was en dat ik al een tijdje zo afstandelijk deed.

'Kinderen worden groot', zei ze, maar Gisela keek alleen een beetje raar en geloofde er niets van.

'We hebben ruzie', mompelde ik.

Gisela schrok.

'Waarom?' vroeg Peter.

'Omdat zij altijd zitten te hengelen en ik daar een hekel aan heb!'

Gisela begon te hoesten. Ze hoestte en hoestte, tot Peter op haar rug klopte, maar toen liepen de tranen al over haar wangen.

'Jullie mogen geen ruzie maken!' zei ze. 'Jullie zijn toch kasteelkinderen! Jullie moeten één lijn trekken! Een voor allen en allen voor een!'

Ik wist niet of de tranen door het hoesten kwamen of dat Gisela echt huilde. En hoewel de vlekjes zonlicht over het tafelkleed dansten, had ik het koud.

'Ik ga naar mijn kamer', mompelde ik.

Op de trap hoorde ik mijn moeder zeggen: 'Zit er niet over in, Gisela. Dat trekt wel weer bij, je weet toch hoe kinderen zijn. Morgen zijn ze die ruzie vergeten.'

Maar mijn moeder vergiste zich: wij vergaten die ruzie niet. De volgende dag niet en de dag daarna evenmin. Zwijgend gingen we op weg naar school, zwijgend zaten we naast elkaar in de bus, zwijgend droegen we onze Engelse toets met de vijf erboven weer naar huis. 's Middags haalden Daniël en Lucas de ene rietvoorn na de andere uit de gracht, terwijl ik urenlang door het bos fietste of in de wei wolken lag te tellen.

Ik weet niet meer wiens idee het was. Misschien van mijn moeder met de nieuwe rode haren, of van Gisela met het sjaaltje om haar hoofd? Dat Peter alles had bedacht, kan ik me niet voorstellen. Meestal hield hij zich overal buiten en eigenlijk wist hij weinig over ons. Dat was altijd al zo geweest. Peter vertrok 's ochtends naar zijn werk en kwam laat in de middag weer terug. Hij bracht de vuilniszakken weg en haalde brandhout uit het schuurtje. 's Zaterdags reed hij naar een warenhuis om boodschappen te doen voor de hele week. Altijd als ik hem zag, droeg hij iets: een bak water, de boodschappentassen, zijn boekentas, het brandhout voor de kachel.

Soms dacht ik: alle vaders zijn zo. Vaders doen het grove werk. Vaders dragen zware dingen. Vaders krijgen grasmachines aan de praat en kasten in elkaar geknutseld. Vaders plakken fietsbanden en hebben verstand van werkgerei. Vaders kunnen bomen vellen maar geen radijsjes zaaien, niet de juiste vragen stellen en ook niet troosten.

En als ik zo dacht, vond ik het helemaal niet meer erg dat mijn vader was weggegaan. Mijn moeder en ik konden de bak water wel alleen dragen en ook de kast in mijn kamer hadden we zelf in elkaar geschroefd.

Ik weet niet meer wiens idee het was. Ik weet alleen dat ik het een rotidee vond en Daniël vast ook – tenslotte hadden we al twee weken niet meer tegen elkaar gesproken.

In de kranten stond dat het de zomer van de eeuw was, en de nieuwslezer op de tv zei dat het de warmste meimaand was sinds het begin van de weerwaarnemingen. We mochten elke dag na het vierde lesuur naar huis omdat de thermometer om tien uur al achtentwintig graden aanwees, in de schaduw.

Mijn moeder zat voor ons huis onder de grote parasol.

'Hoe was het op school?'

'Goed!'

'Ik heb een verrassing voor je', zei ze. 'Raad eens?'

Ik moet wel een tamelijk onnozel gezicht hebben getrokken, want mijn moeder barstte in lachen uit.

'Vanavond gaan we barbecuen', zei ze.

Dat was echt een verrassing, want dat hadden we in eeuwen niet meer gedaan. De barbecue stond al jaren weg te roesten in de kelder.

'Dat is de moeite niet voor ons tweeën', had mijn moeder altijd gezegd als ik ernaar vroeg. 'Veel te veel werk! We kunnen die worstjes net zo goed in de pan bakken.'

De barbecue hoorde bij de tijd dat ik nog klein was en een vader had die bij ons woonde. Híj was het die altijd achter de barbecue stond, hij had de houtskool laten gloeien en mij laten zien hoe je stokbrood bakt, hoe je het deeg om de lange stok wikkelt en hoe ver je die stok van de vuurgloed moet houden. Ik denk dat mijn moeder niet wilde dat ik me dat nog zou herinneren. En misschien wilde ze het zelf ook liever vergeten, want die barbecueavonden waren altijd heerlijk geweest. Mijn vader en moeder hadden geen ruzie gemaakt, ze hadden gelachen en soms hadden ze elkaar zelfs gekust.

Heel even was ik ontzettend blij, toen zei mijn moeder: 'Gisela en Peter komen ook en voor jullie maken we stokbrood.'

Mijn blijdschap knapte als een ballon die stuk werd geprikt. Ik keek naar mijn schoenen en beet op mijn lip.

'Wees nu toch eens blij', zei mijn moeder. 'En trek niet altijd zo'n gezicht.'

Ze kwamen om zeven uur. Peter droeg de mand met het vlees. Mijn moeder ontkurkte de fles wijn. Toen omarmde ze Lucas en streek ze over Daniëls haar.

Gisela ging meteen in de tuinstoel zitten waarin mijn moeder een extra kussen had gelegd. Gisela was helemaal buiten adem, alsof ze van de hardlooptraining kwam. En het waren toch maar vijftig stappen tot ons huis.

Ik ging naar de keuken, glazen halen.

'Breng meteen het appelsap mee!' riep mijn moeder.

Ik nam de tijd.

Toen ik me omdraaide, stond Daniël voor me. Ik kromp ineen.

'Wat wil je?'

'Helpen!'

'Ik kan het wel alleen!'

'Doe niet zo stom!' Daniël probeerde het appelsap van me over te nemen.

'Ik doe niet stom, jij doet stom!' Ik hield de fles stevig vast.

'Laat los!' Daniël trok aan de fles. 'Laat los! Ik ben toch sterker!'

'Ben je niet!'

'Welles!' Met een ruk trok hij de fles uit mijn hand. 'Zie je wel?'

Met hoogrode koppen stonden we tegenover elkaar. En plots moesten we lachen. We moesten zo hard lachen dat ik de glazen haast uit mijn handen liet glippen.

'Je stinkt naar vis!' proestte ik.

'En jij naar platgetrapte teentjes!' proestte Daniël.

'Moeten wij hier helemaal uitdrogen?' riep mijn moeder van beneden.

'Van mij mag het', giechelde ik.

'We komen al!' riep Daniël.

We liepen de trap af.

'Laat die fles nu niet vallen', zei ik.

'Let jij maar op de glazen', grijnsde Daniël.

Toen ik de glazen op de tafel had gezet en Daniël het appelsap inschonk, glimlachte Gisela en mijn moeder ook, maar
ze maakten gelukkig geen opmerkingen.

Peter had de barbecue aangestoken en legde de worstjes op
de rooster. Lucas hielp zijn vader.

Ze vertelden over vroeger, over de tijd dat de varkensstal er
nog stond, dat er nog geen brand was geweest, dat de gravin
de kinderen van de pachters op kerstavond had uitgenodigd
in het kasteel en elk kind een kerstcadeautje en een zak koek-
jes had gekregen.

'Dat is al zó lang geleden', zei Gisela. 'Zo lang geleden, toen
bestonden jullie nog niet eens in onze dromen!'

Het werd donker en Peter stak de tuinfakkels aan. Mijn
moeder zette kaarsen op tafel. Wij mochten met drie fakkels
op pad, Daniël, Lucas en ik. We liepen door de pikzwarte kas-
tanjedreef tot bij de kikkerpoelen. Een uil vloog zonder
geluid boven onze hoofden.

Daniël trok twee kleine plastic staafjes uit zijn broekzak.

'Weet je wat dat is?'

Ik schudde mijn hoofd.

'Dat zijn buiglichtjes. Die heb je nodig als je paling wilt
vangen.'

'Waarom?'

'Op paling vis je 's nachts. Je buigt de staafjes doormidden en dan geven ze licht. Je bindt ze aan je hengeltouw en als de paling dan bijt, trekt hij de lichtjes onder water en kun je in het donker zien waar hij is.'

We plantten de fakkels in het gras en zetten een paar passen in de duisternis. Daniël boog een van de staafjes om en ja, het gaf licht. Het gaf licht als een reuzenglimworm.

'Krijg je van me', zei Daniël.

Toen we terugkwamen, was Gisela's stoel leeg.

'Waar is mama?' vroeg Lucas.

'Naar bed', zei Peter. 'Mama was moe.'

'Moeten wij nu ook naar bed?' vroeg Lucas met een klein stemmetje.

'Nee hoor', zei mijn moeder. Het kaarslicht viel op haar gezicht en maakte het zacht, haar rode haren glansden en ik vond dat ze er prachtig uitzag.

'Als jullie zin hebben, mogen jullie vannacht buiten slapen', zei Peter. Hij wees naar de brede tuinbank. 'De jongens kunnen daar liggen.'

Lucas huppelde blij op en neer en stootte zijn luidste indianenkreten uit. De pauwen antwoordden net zo luid. Daniël en ik stonden te grijnzen in het kaarslicht.

'En jij neemt de ligstoel', zei mijn moeder.

'Ga nu maar het beddengoed halen en trek jullie pyjama aan. En vergeet jullie tanden niet te poetsen!'

'En een beetje zachtjes,' zei Peter, 'zodat mama niet wakker wordt.'

Toen ik met gepoetste tanden en mijn dekbed onder de arm weer buiten kwam, zat mijn moeder alleen aan tafel.

'Waar is Peter?'

'Verrassing!' giechelde mijn moeder.

Aan haar stem kon ik horen dat ze een beetje dronken was.

Daar hield ik niet van, al wist ik best dat alle grote mensen wel eens wat te veel dronken. Bij anderen vond ik dat niet zo erg: oom Frits begon dan grappen te vertellen en mijn opa deed kippen na. En op het laatst zongen ze altijd volksliedjes: 'Geen mooier land in deze tijd' of 'De maan is opgegaan'. Oom Frits had dan altijd zijn portemonnee gepakt en mij een briefje van vijf gegeven.

'Je moet niet zoveel drinken!' zei ik.

'Och, mussie', giechelde mijn moeder. 'Wees toch niet altijd zo verstandig. Ik heb niet te veel gedronken, maak je maar geen zorgen!'

Ze stond op en spreidde het laken over de ligstoel, toen schudde ze mijn kussen op.

'Hier slaap je als een prinses!' lachte ze.

'En toch', zei ik zacht en ik hield mijn buiglichtje stevig vast.

Toen Daniël en Lucas terugkwamen, hoorden we een luid geplets op de gracht.

'Ah, eindelijk!' zei mijn moeder.

'Wat zijn jullie van plan?' vroeg ik.

'We maken een boottochtje.'

Daniël en ik keken elkaar aan.

'Maar ik wil mee!' riep Lucas.

'Geen sprake van!' zei mijn moeder. 'Dit boottochtje is alleen voor grote mensen.' Ze schudde de andere kussens op en streek de dekbedden glad.

'En als jullie zinken?' riep Lucas.

'Dan roepen we heel hard en komen jullie ons redden', lachte mijn moeder.

De fakkels waren opgebrand. We lagen onder onze dekbedden, keken naar de sterrenhemel en hoorden het zacht pletsen als Peter de roeispanen op het water liet landen. Ergens naast de haag kefte een egel.

Het geplets werd steeds zachter, af en toe waaide een zuchtje wind het lachen van mijn moeder naar ons toe. Peters stem was haast niet meer te horen.

Daniël blies in zijn handen en deed de roep van een uil na. Het klonk verwarrend echt. Eigenlijk had dat ons geheime herkenningsteken moeten worden. Ik had máánden geoefend, maar ik deed ergens iets fout en uiteindelijk hadden we het opgegeven. 'Wijven kunnen dat gewoon niet!' had Daniël gezegd.

'Waar zijn ze nu?' vroeg Lucas.

'Aan de andere kant van het kasteel', antwoordde Daniël. 'Dat hoor je toch!'

'Juist niet!' zei Lucas.

'Dat bedoel ik dus!'

Ik spitste mijn oren in de duisternis. Op het springen van de rietvoorns na was er geen enkel geluid meer. Geen gelach en geen gelijkmatig geplets en geen stem. Een eend kwaakte in haar slaap en ergens diep in het woud had een uil Daniëls roep eindelijk gehoord en beantwoord.

Net boven ons stond de Grote Beer.

Ik kon dan wel geen uilenroep nadoen, maar van sterrenbeelden wist ik alles. Want op het plafond boven mijn bed hingen lichtgevende sterren. Het afscheidsgeschenk van mijn vader. Drie dagen voor zijn vertrek had ik de sterren gekregen. Urenlang had hij op de ladder gestaan met een dik, zwaar boek in de hand en de sterrenbeelden van het noordelijk halfrond uitgemeten en heel precies zo opgeplakt. Die avond hadden we naast elkaar in het donker gelegen en de sterren hadden geglinsterd aan mijn plafond en mijn vader had me alles verteld.

'Kijk, dat is Cassiopeia en dat is de Grote Beer en daarboven, zie je, die ster helemaal bovenaan, dat is de poolster.'

En toen had hij over het Zuiderkruis verteld, dat je alleen aan de andere kant van de aarde kunt zien en dat zo mooi is dat het je de adem beneemt.

'En later, als je groot bent, koraaltje, gaan we daar met z'n tweetjes heen, alleen jij en ik, en dan laat ik je de mooiste sterrenhemel van de wereld zien. Beloofd!'

Net boven ons stond de Grote Beer. Misschien keek mijn vader nu ook naar boven, zag hij de Grote Beer en dacht hij aan mij.

Lucas sliep al. Hij ademde rustig en regelmatig.

'Slaap jij ook al?' fluisterde ik.

Daniël antwoordde niet.

'Hé kerel, ik hoor wel dat je nog wakker bent!'

Daniël snufte.

'Wat is er? Ben je aan het huilen of zo?'

'Ik huil niet!' snikte Daniël. 'Ik huil toch nooit!'

'Wil je bij mij komen liggen?'

Ik hoorde zijn lakens ritselen, toen lag hij naast mij. Zijn gezicht was helemaal nat. Hij kroop tegen me aan en ik hield hem vast en ik wist niet wat ik moest zeggen.

Ik had hem zo graag over mijn vader verteld en over het Zuiderkruis en over de Grote Beer en de avondster. Maar ik kon het niet. Onze moeders hadden ons altijd getroost. Zij hadden pleisters op onze bloedende knie geplakt en onze verbrande vinger onder koud water gehouden en de pijn driemaal weggeblazen. Maar ik was nog een kind en alles wat ik kon doen, was Daniël vasthouden.

Ik hield hem zo lang vast tot hij ophield met huilen.

Toen liet ik hem los en keken we samen naar de hemel.

'Geloof jij dat daarboven een God woont?' vroeg Daniël.

'Weet ik niet. Wat denk jij?'

'Ik heb gebeden, maar het helpt niet. Mama is niet genezen!'

'Misschien heb je niet hard genoeg gebeden?'

'Harder kan ik niet!'

Ik wist dat Daniël gelijk had. Want ik had ook gebeden toen mijn vader weg wou gaan. 'Lieve God,' had ik gebeden, 'lieve God, zorg dat papa bij ons blijft!' Elke avond, steeds weer. 'Lieve God, zorg dat papa bij ons blijft!' Maar toch was mijn vader weggegaan.

Misschien was God maar een verhaal, zoiets als de paas-haas of sinterklaas. Een verhaal dat je net zo lang gelooft tot je ziet dat sinterklaas de laarzen van oom Hubert draagt. Dat je net zo lang gelooft tot je op Pasen uit het raam kijkt en mama chocolade-eieren ziet verstoppen.

Misschien was er daarboven niets anders dan kou en oneindigheid, misschien waren hier beneden echt alleen wij en libellen en eenden en uilen en vleermuizen.

'Ik geloof niet meer in God', zei Daniël. 'Ik geloof alleen in de snoek. In de snoekgod. En dat het me zal lukken hem te vangen. Mij alleen. En als ik hem gevangen heb, wordt mama weer beter!'

Ik zei niets. Ik kon niets zeggen, want de gedachte dat God niet bestond, maakte me stil en eenzaam. En dat Daniël er net zo over dacht, was nog veel erger dan mijn eigen twijfel. Maar misschien had hij gelijk: misschien bestond alleen de snoekgod echt.

We lagen met open ogen naast elkaar te luisteren in de duisternis. Na een eeuwigheid hoorden we het zachte pletsen van de roeispanen weer. Peter zei iets wat we niet konden ver-staan en mijn moeder lachte en zelden was ik zo blij geweest haar lachje te horen.

'Dan ga ik maar weer eens terug', zei Daniël en hij stond op. 'Anders denken ze nog dat we elkaar hebben gekust!'

'Oude dromer', giechelde ik.

'Lelijk oud wijf! En je zegt niet dat ik gehuild heb!'

'Nooit en aan niemand!'

'Zweer je het?'

'Ik zweer het!'

Toen mijn moeder zich over me heen boog, deed ik alsof ik sliep. Ze trok mijn dekbed glad en gaf me een kus op mijn voorhoofd. Toen ik door mijn wimpers gluurde, zag ik dat ze bij Daniël en Lucas hetzelfde deed.

We reden samen naar de hengelwinkel. Daniël, Lucas en ik. Mijn moeder zat aan het stuur. Ze zocht een parkeerplaats, ze zweette en rookte en vloekte luid.

'Wat een idioten! Die hebben hun rijbewijs zeker ergens gewonnen! Kijk nu toch eens! Wat doet die toch?'

Mijn moeder sloeg met haar hand tegen haar voorhoofd.

'Ik heb het altijd geweten: vrouwen kunnen niet rijden!'

Daniël en Lucas grijnsden.

'Je bent toch zelf een vrouw!' zei ik.

'Klopt, maar ik kan rijden!'

Ze gooide razendsnel het stuur om en zette de auto met piepende banden achterwaarts op een parkeerplaats. De man in de auto achter ons moest vol op de rem trappen en tikte tegen zijn voorhoofd.

Ik schaamde me, maar Daniël floot goedkeurend door de spleet tussen zijn tanden.

'Zuivertjes afgewerkt!' zei hij. 'Behalve papa lukt dat niemand!'

Mijn moeder lachte hard.

Ik vond het pijnlijk om bij haar in de auto te zitten. Ze was altijd aan het vloeken, altijd waren de anderen de idioten. Ik kon me de vakanties van vroeger nog goed herinneren. Toen had mijn vader met samengeknepen lippen naast haar gezeten en heerste er een ijzig stilzwijgen in de auto.

'Ik ben nu eenmaal geen copiloot!' had mijn moeder beweerd. 'Laat me nu eindelijk rijden!'

En ze was op hem blijven inpraten tot mijn vader stopte en de autodeur dichtsmeet. Zij reed en hij mocht tanken.

En toen hij op een reis naar Denemarken een paar druppels benzine op zijn sandalen had gemorst, was zij woedend uit de auto gesprongen en had ze gebruld: 'Zelfs tanken kan hij niet!'

Iedereen had ons aangestaard en vol leedvermaak gegrijnsd, ik was het liefst onzichtbaar geworden.

Ik schaamde me, Daniël floot weer door de spleet tussen zijn tanden en toen stonden we voor de winkel. *Het Hengelparadijs − speciaalzaak voor hengelbenodigdheden.*

Ik weet nog precies hoe het daar rook. Het rook er naar ijzer en stof en meelwormen. En overal blonk het. Er waren blinkerds en kleine metaalvisjes die er net zo echt uitzagen als onze rietvoorns. Er waren zachte, felgekleurde trilwormpjes en vislijnen en loodbolletjes en veren en dobbers. Dit was dus Het Hengelparadijs.

Ik moest aan de zakjes met surprises denken die mijn dikke oom Ewald met de sigaar altijd voor me meebracht. Deze glinsterende hengeldingen hadden goed in die zakjes gepast, want gekleurde trilwormpjes en kleine veren rupsen die je met een draad over de tafel kon trekken, had ik vaak genoeg tussen de kleverige gepofte rijst gevonden.

Daniël en Lucas waren al lang tussen de hoge rekken verdwenen. Af en toe doken ze weer op en dan moest mijn moeder het ene net na het andere bewonderen.

Met mij had ze nooit zoveel geduld. Mij was ze altijd aan het opjagen. Vooral in schoenenwinkels.

'Heb je eindelijk beslist? Haast je nu toch eens, slakje! We blijven hier niet slapen, hoor!' En dan nam ik de donkerblauwe schoenen, terwijl ik eigenlijk de rode wilde.

In Het Hengelparadijs had ik voor het eerst in mijn leven snel kunnen beslissen, ik zag toch geen verschil tussen het ene schepnet en het andere. Ik trommelde ongeduldig met mijn vingers op de toonbank en mijn moeder wierp me een bestraffende blik toe.

Het schepnet was niets anders dan een reuzegroot vergiet met een uittrekbare steel. En het vangnet was een vierkant net dat je met plastic stokjes moest opspannen. Op elk van de vier hoeken zat een draad, die vanboven vastzat aan een ring. Waarom had ik zoiets zelf niet bedacht, dan hadden we ons geen drie weken hoeven uit te sloven met Gisela's poetsemmer.

Schepnet en vangnet: bij die woorden had ik me iets heel anders voorgesteld, iets bijzonders, iets wat ik nooit van mijn leven zelf had kunnen bedenken. In Het Hengelparadijs begreep ik voor het eerst dat de hengeltaal een geheime taal was en dat ik die taal moest leren om mee te kunnen praten.

Natuurlijk probeerden we het vangnet meteen uit. Daniël liet het door het water glijden en haalde het op. En inderdaad:

we hadden meteen al zeven rietvoorns. Het was poepsimpel en ik was blij dat de rietvoorns geen haak meer hoefden te slikken. Daniël wierp de visjes weer in het water.

'Ben je betoeterd?' riep Lucas. 'Zonder aasvis krijg je de snoek nooit te pakken!'

'We mogen hem nog helemaal niet vangen', zei Daniël.

'Waarom niet?'

'Omdat het visseizoen nog niet open is. We moeten tot juli wachten!'

'Wie zegt dat?'

'De graaf!'

'Geloof ik niks van!' zei Lucas. 'Ik denk eerder dat jij niet durft!'

Daniël antwoordde niet. Hij vouwde het vangnet op en liep gewoon naar binnen.

Ik wist niet zeker of Daniël wel de waarheid zei, maar ik herinner me nog goed hoe opgelucht ik was. Want ik stelde me voor hoe het zou zijn als hij de snoek doodsloeg. En ik wist dat ik dat niet wilde zien.

Terwijl het koolzaadveld uitbloeide, groeide de zomer. Mijn roodharige moeder stond rokend bij het fornuis en maakte aardbeienjam.

'Hoe was het op school?'

'Goed!'

Ze stond met haar rug naar me toe. Met de ene hand roerde ze in de jam, in de andere hield ze haar sigaret. Ik keek naar haar en wachtte tot er as in de jampot zou vallen, maar dat gebeurde niet.

'Er ligt iets voor je op tafel!' zei ze zonder om te kijken. 'Van Gisela.'

Het was een rechthoekig pakje. In cadeaupapier gewikkeld, met een rood lint eromheen.

Ik nam het in mijn hand, draaide het om en probeerde te raden wat erin zat. Het voelde als een boek.

'Maak nu toch eens open!' drong mijn moeder aan. 'Of wil je niet weten wat erin zit?'

Natuurlijk wilde ik weten wat het was, maar het was toch veel leuker om eerst te raden?

'Je bent net je vader!' zei mijn moeder.

'En jij bent nieuwsgierig!'

'Niet weer brutaal worden, jij!'

Als mijn moeder een cadeautje kreeg, rukte ze meteen de strik los en scheurde ze het papier aan flarden. Ze kon gewoon niet wachten om te zien wat ze gekregen had.

Ik vond dat vreselijk, vooral als ik veel moeite had gedaan om het mooi in te pakken.

Mijn vader had zijn cadeaus altijd lang in zijn hand gehouden. Hij had eraan gevoeld en er voorzichtig mee geschud, hij had ze om en om gedraaid. Dan pas had hij behoedzaam de knoop losgemaakt en het plakband losgetrokken. Mijn moeder moest altijd om hem lachen en spoorde hem ongeduldig aan. Maar ik had het fijn gevonden dat hij zo behoedzaam was.

'En, wat zit erin?' vroeg mijn moeder.

Ze likte de houten lepel af en kwam naast me zitten. Ik wilde niet dat zij als eerste zou zien wat ik van Gisela had gekregen. Ik pulkte aan het plakband.

'Zo zie ik niks!' jammerde mijn moeder.

Ik deed alsof ik haar niet hoorde. Voorzichtig vouwde ik het cadeaupapier open. Het wás een boek. '*Het hengelboek voor beginners*', las ik.

'Laat eens zien!' zei mijn moeder. Ze wilde het boek uit mijn hand pakken, maar net op dat moment kookte de jam over. Ze vloekte en rende naar het fornuis.

Ik vluchtte naar mijn kamer. Daar draaide ik het boek om en ik las de flaptekst. 'Kennis voor de liefhebber van A tot Z', las ik. '*Het hengelboek voor beginners* is een beknopte maar goede inleiding tot de "natte jacht". Geschreven door een hengelaar, bedoeld voor de praktijk. Het boek biedt een beginner alle belangrijke kennis over hengelvisserij, maar ook de gevorderde hengelaar krijgt een schat aan degelijke informatie over waterlopen, vissen, materialen, hengelmethoden en nog veel meer.'

Ik klapte het boek dicht en vond de brief.

Lieve Anna, meisje van me,

Ik wilde dat ik nu naast je stond en je gezicht kon zien als je dit boek openslaat. Waarschijnlijk denk je dat ik het beter aan Daniël had kunnen geven. Ik weet immers hoe jij over hengelen denkt. En geloof me: ik zie vissen ook liever levend in een aquarium. Maar je weet toch hoe

jongens zijn, en je weet ook dat we die twee niet van het hengelen kun-
nen afbrengen. Want als ze hengelen, vergeten ze voor even al de rest.
Ik wil niet dat jullie daarover ruzie hebben. Integendeel: ik zou wil-
len dat jij ook met hen mee kunt doen. Jullie hebben toch altijd alles
samen gedaan. Jullie gingen samen naar de kleuterklas en je herin-
nert je vast nog jullie eerste schooldag. En weet je nog hoe jullie de
boomhut hebben gebouwd? Eigenlijk zijn jullie drieën opgegroeid als
broers en zus en ik zou willen dat dat zo blijft. Zeker nu, nu ik ziek
ben, zou het fijn zijn te weten dat jullie het met elkaar kunnen vinden.

Lieve Anna, ik weet dat dat een grote wens is, maar ik weet ook dat
jij een fantastisch meisje bent. Van een dochter als jij heb ik altijd
gedroomd. Dus, meisje van me, lees het boek en laat die twee jongens
zien hoe je moet hengelen. En misschien beleef je ooit net zoveel plezier
aan het vangen van de snoek als Daniël en Lucas!

Dikke knuffel,
Gisela

Het was de eerste en enige brief die ik ooit van Gisela had
gekregen.

En ik zou haar alles hebben beloofd. Misschien omdat ze
mij haar meisje had genoemd, misschien omdat ik hoopte
dat ze dan weer beter werd, en misschien omdat Daniël gelijk
had en de snoekgod echt bestond. De snoekgod die almach-
tig was en wonderen kon verrichten als je hem uit zijn eeu-
wige leven verloste.

Toen ik de stappen van mijn moeder op de trap hoorde,
verstopte ik Gisela's brief onder mijn kussen. Zwijgend gaf ik

haar het boek. Mijn moeder bladerde het door en schudde haar hoofd.

'En vergeet haar niet te bedanken!' zei ze.

Het boek bleef mijn geheim. Ik liet het niet aan Daniël zien en niet aan Lucas, maar las er elke avond in. Ik wist allang dat het snoekseizoen op 1 mei begon. Maar ik zei niets en Lucas kende gelukkig niemand aan wie hij het kon vragen.

Op woensdag en vrijdag, als Lucas naar de voetbaltraining was, liep Daniël alleen met het vangnet over het plein. Vanachter het raam zat ik hem stiekem te bekijken.

Ik zag hoe hij het net elke keer in het water liet glijden en het weer ophaalde. Ik zag hoe hij dan een rietvoorn pakte en die probeerde vast te houden. Ik telde de seconden. Het waren er nooit meer dan tien voor hij vol afschuw losliet. Ik zag hoe hij daarna over de brugleuning hing en moest kokhalzen.

Ik had medelijden met Daniël en tegelijkertijd bewonderde ik hem.

Mijn vader had ooit gezegd: 'Als je ergens bang voor bent, moet je het eerst eens goed bekijken en het dan vastpakken. En als je dat gedaan hebt, ben je niet bang meer. Onthoud dat goed, koraaltje.'

Dat was op de dag dat een grote herdershond tegen me was opgesprongen. Ik rende voor mijn leven en kon niet ophouden met huilen. Toen had mijn vader me op de arm genomen en die woorden tegen me gesproken. Maar het was me nooit gelukt een herdershond eerst goed te bekijken en dan aan te raken. Op een bepaald moment had ik het opgegeven en wist ik dat ik mijn leven lang bang zou blijven.

Daniël was anders dan ik, hij gaf niet op. Ik wist zeker dat het hem zou lukken.

Het vergeet-haar-niet-te-bedanken lag als een steen op mijn maag. Elke avond vroeg mijn moeder ernaar en elke avond zei ik: 'Nog niet, maar morgen doe ik het zeker.'

En mijn moeder mopperde en noemde me ondankbaar. 'Ik begrijp best dat je niet blij bent met dat hengelboek, maar je kunt haar op zijn minst bedanken. Zo hoort het toch!'

Zo hoorde het zeker, maar ik was bang.

Ik was bang om Gisela te zien, ik was bang haar te horen hoesten, bang haar te moeten omhelzen. Ik wilde niet naar dat stille huis met de altijd neergelaten jaloezieën, naar die vreemde geur en dat tikken van de klok. Daar was ik allemaal bang voor, en het bangst van al was ik voor de zuurstoffles.

Ik had met Daniël in onze klimboom gezeten toen Peter het plein opreed. We hadden allebei gezien hoe hij de fles naar binnen sleepte.

'Waar hebben jullie nu zoiets voor nodig?' had ik gevraagd, maar Daniël had zijn schouders opgehaald.

De zuurstoffles zag eruit als een gasfles waarmee op kermissen de vrolijke ballonnen werden opgeblazen die ik vroeger nooit kon vasthouden. Die ballonnen waren altijd naar de hemel gevlogen en als ik dan huilde, had mijn vader gelachen en gezegd: 'Ja, daar spelen nu de engeltjes mee!'

Met Daniël kon ik er niet over praten, maar op weg naar school vertelde Lucas dat die zuurstoffles voor mama was.

'Dan kan mama beter ademen en geneest ze ook weer!' Hij giechelde en nam mijn hand. 'En weet je, mama's zuurstof-masker is hetzelfde als zo'n masker in een vliegtuig! Precies hetzelfde!' En daar was hij trots op.

Nee, ik wilde dat huis niet binnengaan, ik wilde dat masker niet zien en Gisela niet en daarom had ik een slecht gewe-ten. Maar elke avond las ik in het hengelboek en ik leerde alles over snoeken.

'De snoek is voor sportvissers dé favoriete roofvis', las ik. 'Die eretitel heeft hij onder meer te danken aan zijn agres-sieve natuur. Maar ook zijn vlees behoort tot het lekkerste dat er is. De snoek stelt hoge eisen aan zijn leefomgeving: het liefst houdt hij zich op in oevergebieden met stilstaand, vlak water, of in langzaam stromende wateren met plantrijke oevers. Het is een vis die graag op zijn eigen terrein blijft en het is een eenzaat.'

Terwijl ik dat las, kwamen er vreemde gedachten in me op. Ik dacht: eigenlijk lijken Daniël en de snoek op elkaar. Twee eenzaten in een waterkasteel, Daniël en de snoek, en allebei loerden ze op een prooi. De ene ademde weliswaar lucht, de andere water, maar ook dat maakte hen gelijk: als ze met elkaar zouden ruilen, zouden ze allebei stikken.

Ik las dat je een snoek eerst met een klap op de kop moet verdoven en dat je dan een mes door zijn kop moet steken. Ik las dat als je het hart van een snoek uit zijn lijf hebt gesneden, het nog twintig minuten kan kloppen. Ik stelde me voor hoe dat zou voelen.

En ik zag me al een snoekhart in mijn hand houden dat gewoon bleef kloppen.

's Nachts, als de onweerswolken over het kasteel trokken, droomde ik. Ik kreeg kieuwen en mijn benen veranderden in een staartvin. Ik liet me tot op de bodem van de gracht zakken. En daar beneden, waar alles stil en zwart en ondoorzichtig was, zwom ik de snoek achterna. Ik bleef roerloos hangen terwijl hij zijn prooi beloerde. Toen schoot ik langs hem heen, pijlsnel en met open mond, recht op de rietvoorns af. Ik voelde me licht, ik was snel en soepel en het water beschermde me. Achter de klimop, die tot diep beneden in het water groeide, lag de ingang van de snoekenburcht. In mijn droom kon ik daar gewoon naar binnen zwemmen. Ik vond er reusachtige zalen en kleine vertrekken en als ik naar boven keek, spiegelden wolken en sterren zich in het doorzichtige plafond van mijn kamer. De snoek knikte me toe. Ik zag hem verstarren, zag een langzame rietvoorn boven hem wegschieten, herkende het hengeltouw – maar het was al te laat. Onder water had ik geen stem: ik kon niet schreeuwen om hem te waarschuwen. Ik zag hem vechten, zag hoe hij het hengeltouw probeerde stuk te trekken, hoe hij zich oprichtte, telkens weer, terwijl de haak zich dieper in hem vast boorde.

Het was een donderslag die me uiteindelijk uit deze droom wekte. Maar ik kon niet ophouden met gillen. Tot mama bij me kwam, me in haar armen hield en wiegde, net als vroeger.

Toen het onweer voorbijtrok, werd de hemel eerst geel, toen donker. De lucht was zwaar en plakkerig. De wind stond stil, geen blad van onze klimboom bewoog. We bleven gewoon op de takken zitten en wachtten. Op de stenen brugleuning stond nog de emmer met onze rietvoornvangst.

Al sinds een week voerden we de dapperheidsstrijd. Dat was het nieuwe spel dat Daniël had bedacht.

'Wie het langst rietvoorns kan vasthouden, wint!' zei hij.

'Maak dan je borst maar nat', giechelde Lucas. 'Dan win jij nooit!'

'We zullen zien!' grijnsde Daniël.

Hij haalde Gisela's chronometer uit zijn broekzak en gaf hem aan mij.

'Jij neemt de tijd op.'

Ik was blij dat ik scheidsrechter mocht zijn, want alleen al de gedachte dat ik die slijmerige vissen zelf zou moeten aanraken, maakte me misselijk.

Daniël liet zien op welk knopje ik moest drukken om de tijd te stoppen, toen wierp hij het vangnet in het water en haalde het weer op.

Het was een stom spel, want haast geen enkele rietvoorn overleefde de wedstrijd.

'Alle donders!' zei Lucas uiteindelijk. 'Alle donders! Mijn stomme broer kan echt vissen pakken!'

En Daniël grijnsde en mikte wat snot in het water.

Toen de hemel geel en donker werd, klommen we in de boom. Ik vond dat gevaarlijk, want bliksem slaat toch juist in bomen in, maar Daniël lachte en zei dat ik gerust naar huis mocht gaan en me onder mijn bed verstoppen. Hijzelf was onkwetsbaar, want wie rietvoorns vast kan houden, slaat de bliksem niet meer.

Bij de eerste donderslag deed mijn moeder het raam open.

'Daniël,' riep ze, 'kom nu eindelijk naar binnen! En breng je broer en Anna mee!'

Ik schrok. Dat riep Gisela toch altijd? Het was de eerste keer dat mijn moeder het deed, en ik zag dat Daniël net zo in elkaar kromp als ik.

We sprongen uit de boom en liepen naar huis, de eerste druppels vielen.

Ze stond in de deuropening op ons te wachten. Ik zag meteen dat ze boos was.

'Jullie verstand is zeker blijven stilstaan?' schold ze. 'Wat denken jullie eigenlijk, in een boom klimmen als de bliksem jullie om de oren flitst! Hebben jullie dan helemaal niks geleerd? Dat jongens soms roekeloos zijn, weten we allemaal. Maar van jou,' brulde ze, 'van jou had ik meer verwacht! Jij bent tenslotte een meisje en ook nog eens de oudste!'

Terwijl ze zo aan het schelden was, had mijn moeder me bij de arm gepakt en ik voelde haar harde vingertoppen zich bij elke zin dieper in mijn vlees boren.

Ik rukte me los en rende de trap op. Ik knalde de deur dicht en smeet me op bed.

Waarom was ze zo oneerlijk?

Waarom was het altijd mijn schuld?

Waarom had ze geen goed woord voor me over?

Ik was toch haar enige kind?

Als ik haar wilde omhelzen, schoof ze me lachend opzij. 'Ik krijg geen lucht meer! Doe toch niet altijd zo onstuimig!'

Maar zo was ik nu eenmaal: onstuimig. Vooral als ik haar wilde tonen hoeveel ik van haar hield. Ik wilde toch alleen maar dat ze mij hetzelfde zou laten zien? Maar dat deed ze bijna nooit.

Ik wilde zo graag op haar lijken, maar zij zei altijd: 'Je bent net je vader.'

Misschien deed ze daarom zo tegen mij?

En ik had toch zelf gehoord hoe ze een keer tegen Gisela zei dat ze zo graag een zoon had gekregen. Die had dan Jan geheten, en ik was alleen maar een Anna geworden.

'En stel je voor', had ze tegen Gisela gezegd. 'Stel je voor, nu moet ik alles wat ik als meisje heb beleefd nog eens meemaken: dat preutse, die koppigheid, die leugens en alles... Ach, was het maar een jongen geworden!'

Wat Gisela antwoordde, kan ik me niet meer herinneren, maar ik weet nog precies hoeveel pijn het deed dat te moeten horen. Van toen af wist ik dat ik het mijn moeder nooit naar de zin zou kunnen maken. Want ik was maar een meisje. Hoewel ik alles kon wat jongens kunnen. Ik kon zelfs in een boogje plassen! Maar dat telde niet voor mijn moeder. En nu, nu Gisela ziek was, had ze opeens twee jongens. Zo simpel was het.

53

Ik lag op bed, snikte in mijn kussen en hoorde mijn moeder beneden in de keuken lachen. En Lucas en Daniël lachten mee.

Ik schrok toen plots iemand zijn hand op mijn schouder legde.

'Huilen telt niet!' zei Daniël.

'Waarom sluip jij altijd zo?'

'Omdat ik geen nijlpaard ben.'

'Laat me met rust!'

'Ik denk er niet aan!'

Hij ging op de rand van mijn bed zitten.

'Waarom huil je?'

'Omdat... dat gaat je niks aan!'

'Toch wel. Zeg het nu maar!'

'Omdat... omdat het altijd mijn schuld is! Omdat ik nooit iets goeds kan doen! Omdat ze altijd op mij zit te vitten! Omdat ze jullie veel liever vindt... jou, en Lucas al helemaal! En omdat ik er niet meer tegen kan!'

Hij streelde over mijn rug en zei niets. Toen haalde hij een kromgebogen kauwgomreep uit zijn broekzak en legde die naast mijn hoofd.

'Krijg je van mij! Met kaneelsmaak! Uit Amerika!'

Ik trok mijn neus op en keek hem aan.

'Echt?'

'Echt!'

Hij grijnsde een beetje scheef en ik zag dat hij verlegen was.

'En de rest?' vroeg ik. 'Dat met mijn moeder?'

Hij haalde zijn schouders op. 'Komt me bekend voor. Is bij ons precies hetzelfde! Ik heb het ook altijd gedaan en Lucas nooit. Misschien is dat ook normaal.'

'Misschien hebben ze ons vroeger in het ziekenhuis wel verwisseld? Misschien wonen we in het verkeerde gezin? Denk jij dat ook wel eens?'

Hij knikte en werd rood.

'Misschien,' zei hij, 'misschien woont mijn echte moeder heel ergens anders. Misschien is mijn echte moeder gezond en loopt ze elke dag over een plein naar haar werk. Over een ander plein, bij een ander kasteel met een gracht...'

Voor ons keukenraam werden de zonnebloemen groot.

Gisela had ik sinds de barbecue niet meer gezien. Ze stond op het punt gewoon te verdwijnen. Zoals het koolzaadgeel verdwenen was en het papaverrood. Zoals de kleine witte kamillebloempjes zouden verdwijnen en daarna de zomerseringen.

Nooit bleven de dingen zoals wij ze mooi vonden. Zelfs het water was van kleur veranderd, het was nu melkwit en zomergroen. De lucht trilde van de hitte.

Mijn moeder hing natte lakens voor de ramen. Dat deed ze pas 's avonds, toen ze doodop en bedroefd van de zieke Gisela was teruggekomen. Maar eerst trok ze de koelkast open, haalde de wodkafles uit het ijs, schonk in en dronk haar glas in één teug leeg.

Ik stond in de deuropening en keek naar haar. Ik zag hoe ze de rode haren van haar voorhoofd streek en hoe ze huiverde toen ze de drank doorslikte.

'Hoe was het bij Gisela?' vroeg ik, omdat ik het gevoel had toch iets te moeten zeggen.

'Dat kun je beter niet vragen', zei ze.

'Vertel het nu maar!'

En toen vertelde ze. Ze vertelde over Gisela's adem, over de zuurstoffles en het luide gesis dat elke ademtocht begeleidde. Ze vertelde dat Gisela meestal sliep of misschien ook haar ogen gesloten hield, omdat het ademen zo luid en vermoeiend was. Ze vertelde dat ze over vroeger hadden gepraat, over de tijd dat eerst ik was geboren en toen Daniël. Hoe de winter toen was.

Mijn eerste winter, en die van Daniël.

'We wilden jullie fotograferen en toen hebben we jullie gewoon in de sneeuw gezet. Die was zo hoog dat jullie niet konden omvallen en al helemaal niet weglopen!'

Mijn moeder giechelde.

'En 's middags legden we jullie in de babywip, omdat dat goed zou zijn voor de rugspieren. Jij lag daar stokstijf van de schrik en je bewoog niet één keer. Maar Daniël had meteen de slag te pakken en begon met zijn armen te roeien tot de babywip omkantelde. Gewoon omkantelde! Toen had je Gisela moeten zien! Ze schreef zo'n woedende brief naar dat bedrijf: veiligheidstests en certificaten, allemaal goed en wel, maar met deze wip konden baby's doodgaan! En toen stuurde het bedrijf een schommel, als verontschuldiging. Stel je eens voor: de duurste babyschommel uit hun hele catalogus! Helemaal gratis!'

Het gegiechel van mijn moeder was overgegaan in een gelukkig lachje, en ik lachte mee. Ik lachte en vroeg niet wat ik eigenlijk had willen vragen. Want er was een vraag waar ik altijd over nadacht, een vraag die als een donkere onweerswolk boven deze zomer hing.

'Mama', vroeg ik niet. 'Mama, wordt Gisela weer beter?'

Nee, dat vroeg ik niet.

Maar terwijl ze vertelde, werd mijn droevige moeder toch weer vrolijk.

En samen met de zonnebloemen voor ons keukenraam groeide de hoop in mij.

's Morgens waren de lakens voor de ramen droog en stijf.

De jonge wilde eenden hadden de hele nacht luid gekwaakt. En ik had lang wakker gelegen, ik probeerde te verstaan wat ze zeiden. Meestal leek het op ruzie, alsof de ene eend de andere toeriep: 'Dat kan ik toch veel beter!' Maar soms klonk het ook lief en slaapdronken. In mijn hoofd verdeelde ik de eenden in jongens en meisjes. De luidruchtige waren de jongens. En de meisjes zeiden: 'Zwijg nu eens, wij zijn moe.'

Mijn vader had me vroeger vaak zulke verhalen verteld. 's Avonds in bed. Het verhaal van de dunnenekvogel, die niet meer weet waar hij heen moet en in het riet zit en altijd maar zijn moeder roept.

'Hoor je? Nu roept hij weer!'

En ik had liggen luisteren in de zwarte nacht en een eenzaam klagend gefluit gehoord.

Of het verhaal van de grote witte Oppervors die 's nachts voor de kikkers van de vijver verschijnt.

'En als hij verschijnt, koraaltje, dan beginnen de groene kikkers meerstemmig te zingen. Dat is het erekoor. Hoor je het? Nu zingen ze ook. Nu staat de grote witte Oppervors aan de oever van de vijver en de anderen begroeten hem!'

Ik had liggen luisteren in de zwarte nacht en ja, de kikkers zongen een psalm.

Maar het liefst hoorde ik het verhaal van de bakkeluten, die alles nadoen wat een van hen voordoet.

'Ze kunnen niet zingen. Maar als een van hen een lied inzet, zingen ze allemaal mee. Hoor je ze zingen?'

Ik had liggen luisteren in de zwarte nacht en inderdaad, de wind waaide vanuit het dorp een feestlied naar me toe.

Mijn vader zou mijn eendenverhaal vast ook mooi hebben gevonden.

Daniël en Lucas waren nu haast elke middag bij ons. En mijn moeder deed dingen die ze nog nooit had gedaan. Op een heel gewone dinsdag stond ze in de keuken wafeldeeg te maken. Dat deed ze anders alleen maar met kerst of met mijn verjaardag. Dan en alleen dan waren er wafels met warme kersen en slagroom.

'Let op in je huis of je staat aan 't fornuis!' luidde de tekst op een kaart aan het keukenprikbord.

Toen ik vroeg waarom ze het deeg maakte, zei ze: 'Hou nu toch eens op met je gemopper altijd! Ik doe het graag en Daniël en Lucas vinden het leuk. En jij zou het eigenlijk ook wel eens leuk mogen vinden!'

Toen we uit school kwamen, rook het buiten op het plein al naar ons middageten. Het rook naar lasagne of vissticks of naar gepaneerde varkenslapjes met erwten en wortelen. Ook dat was nieuw, want vroeger had ze altijd pas 's avonds gekookt.

'Omdat dat praktischer is', had ze toen gezegd. 'Zo kan ik mijn dag beter plannen en een boterham kun je 's middags zelf wel smeren!'

Vroeger was onze koelkast alleen goed gevuld als mijn moeder op dieet was. Alleen dan had ze regelmatig 's middags gekookt en voor mij een klontje boter bij het magere maaltje gedaan.

Maar nu zaten Daniël en Lucas aan onze keukentafel en was vroeger voorbij.

Mijn moeder kookte en bakte alsof er nooit iets belangrijkers had bestaan, en wij mochten de deegkommen leeg snoepen. Nog voor we een eerste hapje hadden genomen, vroeg ze al hoe het smaakte en als Daniël met volle mond 'lekker!' zei, straalde ze.

Eigenlijk had ik me altijd al zo'n moeder gewenst. Zo'n schortenmoeder die naar vanille rook. Zo'n schortenmoeder die chocoladepudding voor me maakte als ik verdriet had. Die zei: 'Eet nu maar, dan voel je je meteen een stuk beter!'

Die bloemkool en worst op mijn bord schoof als ik een Engelse toets had verprutst.

Zo'n moeder had ik me altijd al gewenst, en nu stond ze bij ons in de keuken en wist ik niet of ik daar blij om moest zijn.

Alles veranderde en ik wilde alleen maar dat de dingen voor altijd bleven zoals ze waren.

Ik denk dat Daniël dat ook wilde.

's Morgens, als we in de schoolbus stapten, staken de dorps-kinderen de koppen bij elkaar en begonnen ze te smoezen.

En drie dagen voor de grote vakantie wees het broertje van Klaus Stelter opeens naar Daniël en hij zei: 'Mijn mama heeft gezegd dat zijn mama gauw doodgaat!'

Daniël sprong op, baande zich een weg en stortte zich op het broertje van Klaus Stelter.

Ik probeerde hem tegen te houden. 'Hou op! Hij is toch veel kleiner dan jij!'

Maar Daniël hoorde me niet. Hij hield de kleine jongen in een stevige greep en hijgde: 'Kom op! Zeg dat nog eens!'

En het broertje van Klaus Stelter begon hard te huilen en stotterde: 'Ik trek mijn woorden in! Het is niet eens waar! Het was maar een grapje! Ik neem alles terug!'

Het giechelen en smoezen was opgehouden, het was onheilspellend stil in de bus.

We hielden allemaal de adem in en staarden naar Daniël, die met een hoogrood hoofd en een van woede vertrokken gezicht de kleine Stelter omklemd hield. Zelfs de bus-chauffeur bewoog niet. Iedereen leek verstard.

'Lieve God,' bad ik, 'lieve God, zorg dat Daniël stopt!'

Maar Daniël kneep steeds harder en de kleine Stelter hijgde en hapte naar lucht als een rietvoorn op het droge.

Het was Anna-Sofia Schulze-Wettering die als eerste uit de verstarring ontwaakte. Ze stootte me aan.

'Hij breekt zijn nek nog! Jij bent toch zijn vriendin, zeg dan iets, dat hij hem loslaat!'

Ik keek naar haar gezicht. Ze had waterblauwe ogen en zomersproeten. Ik weet niet waarom, maar opeens moest ik aan de dode poes denken, en dat ook meikatjes eerst waterblauwe ogen hebben en altijd zeven levens.

Ik had zo gewild dat ze iets tegen me zou zeggen. Ik had zo gewild dat Anna-Sofia mijn vriendin zou zijn. En uitgerekend nu zei ze iets tegen me en het liefst was ik door de grond gezakt, vanwege Daniël.

En ze schudde me door elkaar en zei nog eens: 'Vooruit! Je moet iets doen! Jij bent de enige die iets kan doen!'

De buschauffeur was opgestaan en liep met zware stappen over het middenpad.

Ik wist niet wat ik moest zeggen en ik wist het toch.

'Daniël!' riep ik. 'Daniël, denk aan de snoek!'

Hij keek me aan, alsof hij terugkwam van ergens ver weg, van ergens waar niemand voor hem ooit was geweest. Hij keek me aan alsof hij me niet zou herkennen.

'Daniël, alsjeblieft!'

En toen liet hij los.

Het broertje van Klaus Stelter viel achteruit. Het snot liep uit zijn neus en hij hapte nog steeds naar adem. Hij wreef over zijn nek.

'Waar denken jullie eigenlijk dat je bent? In mijn bus wordt niet gevochten! Onmiddellijk naar jullie plaatsen, vlegels!' schold de chauffeur. 'En vanaf nu gedragen jullie je fatsoenlijk!'

Met dezelfde zware stappen beende hij weer naar voren.

Anna-Sofia Schulze-Wettering grijnsde brutaal en knipoogde naar me, alsof we samen een geheim deelden.

'Je kunt eens langskomen, als je wilt!'

Vier weken geleden zou ik nog dolblij zijn geweest met deze uitnodiging. Met knikkende knieën en kloppend hart zou ik 'ja' gezegd hebben, 'graag'. Maar nu leek het alsof ik Daniël zou verraden als ik bij Anna-Sofia zou langsgaan. Misschien omdat ze zo naar me had geknipoogd.

Daniël zat met gebogen hoofd naast me en staarde voor zich uit. Hij was helemaal bleek en ik had graag zijn hand gepakt, maar dat ging niet: een onzichtbare muur stond tussen ons in.

Ik keek uit het raam. Buiten schoven de velden voorbij en de boerderijen en de hagen.

De anderen praatten weer met elkaar, maar de motor brulde zo hard dat ik niets kon verstaan. En eigenlijk wilde ik ook niets verstaan want ik wist toch al wat ze zeiden.

Voor de school wachtten we tot iedereen was uitgestapt. Ik hoorde de eerste bel al gaan.

'Haasten jullie je nu maar', zei de buschauffeur. 'Of willen jullie te laat komen?'

Daniël schuifelde traag achter me aan. Voor de schooldeur bleef hij opeens staan.

'Ik weet niet wat jij doet, maar ik ga niet naar binnen.'

'Doe niet zo stom! Daar komen alleen problemen van!'

'Nou en? Maar jij kunt gaan, hoor.'

Daniël ging op de muur zitten die de speelplaats van de schooltuin scheidde. Ik zag hem daar zitten en wist dat hij het meende. En ik wist ook dat ik hem voor niets ter wereld alleen kon laten.

'Kom dan', zei ik en ik trok hem van de muur. 'Hier kunnen we niet blijven, hier kan iedereen ons zien.'

Hij liet zich meetronen en ik bracht hem tot onder het dikke bladerdak van de treurbeuk die in de schooltuin stond. Daar hadden we ons vroeger tijdens de pauze verstopt, als we ruzie zochten met de dorpskinderen.

'Jullie moeten geen ruzie maken!' zei Gisela altijd. 'En als ze jullie pesten, dan laat je ze gewoon links liggen.'

De treurbeuk was ons geheime plekje geweest, tot ook daar een einde aan kwam en we geen geheim plekje meer hadden.

Maar nu zaten we nog een keer net als vroeger met onze rug tegen de gladde stam. De blaadjestent hing tot op de grond en het licht was nog net als vroeger, groen en schemerig en vertrouwd.

We hoorden het sssrrrii-sssrrrii van de gierzwaluw en de wind waaide een flard van een lied uit de muziekklas naar ons toe: '... want in de zomer bloeit de rode, rode papaverbloem en als vrolijke druppels bloed vallen haar blaadjes neer ...' En toen zei Daniël ineens: 'Misschien klopt het wel wat Stelter zei. Misschien weet iedereen het, behalve wij!'

Ik kromp ineen.

'Mijn moeder heeft kanker', zei Daniël.

'Hoe lang weet je dat al?'

'Al lang. Ik ben niet dom!'

Hij keek me aan.

'Doe niet zo, jij weet het toch ook al lang.'

Ik slikte en knikte.

'Maar je moeder kan toch weer genezen!' zei ik. 'Mijn moeder heeft gezegd dat veel mensen weer beter worden!'

'Ken jij iemand?' vroeg Daniël.

Ik schudde van nee.

'Ik wil niet dat mama doodgaat!'

Daniël sprong op en riep toen plots: 'IK WIL HET NIET! IK WIL HET NIET! IK WIL HET NIET!'

En bij elke IK WIL HET NIET sloeg hij met zijn voorhoofd tegen de stam van de boom. Toen draaide hij zijn rug naar me toe en huilde alleen nog maar.

Er zijn momenten waarvan je weet dat je ze nooit zult vergeten. Dat je ze niet zult vergeten zelfs als je dat zou willen. En terwijl Daniël met zijn hoofd tegen de boom sloeg, wist ik al dat dit zo'n moment was.

Ik wilde Daniël vasthouden en ik kon het niet.

Ik wilde iets zeggen en kon het niet.

Ik wilde weglopen en kon het niet.

Ik kon niet eens huilen.

Het was Daniël die als eerste weer begon te praten. Hij stond nog steeds met zijn rug naar me toe.

'Weet je nog, die avond van de barbecue?' vroeg hij.

'Ja', zei ik.

'Weet je nog dat we het toen over God hadden?'

'Waarom?'

'Omdat ik erover heb nagedacht.'

'En?'

'Als God niet bestaat, kan het hem ook niks schelen of we in hem geloven of niet. Dan kan hij ook niet boos worden en ons straffen als we niet in hem geloven. Maar dan kan hij ons ook niet helpen, als hij niet bestaat.'

'Bedoel je dat het dan ook geen zin heeft om te bidden?'

'Ja, totaal zinloos is dat, hij kan ons toch niet helpen!'

Plots had ik het gevoel dat de bodem onder me werd weggeslagen. Als het waar was wat Daniël zei, was alles wat ik tot nu toe geloofd had fout. Alles wat mijn moeder me verteld had, alles wat mijn oma me had doen geloven, was fout. Als het waar was wat Daniël zei, dan waren er geen engelbewaarders meer en geen wonderen. Natuurlijk had ik af en toe aan God getwijfeld, maar ik had me dan zo verloren gevoeld dat ik snel weer aan iets anders probeerde te denken.

Zoals Daniëls gedachten waren mijn gedachten nooit geweest. En ik ging ertegenin, omdat er anders alweer iets veranderde.

'En hoe zit het dan met engelbewaarders en wonderen?' vroeg ik. 'Je moet toch ergens in geloven? Anders hou je het gewoon niet uit!'

Daniël lachte kort. Het was geen echte lach, het klonk als gesnik.

'Die wonderen mag je wel vergeten, en die engelbewaarders ook! Dat is toch allemaal kinderkak! Maar ik geloof in iets: ik geloof in de snoek! Ik geloof dat als ik hem vang, mama weer gezond wordt!'

Hij draaide zich naar me om en ik schrok. Zijn voorhoofd was tot bloedens toe geschaafd. Dat moest toch pijn doen, maar het leek hem niets uit te maken.

Ik trok een zakdoek uit mijn broek en wilde het bloed opdeppen.

'O wee als je spuug gebruikt! En je zegt tegen niemand wat er gebeurd is! Ik ben gewoon uitgegleden, begrepen? Ik ben uitgegleden en op mijn hoofd gevallen.'

Dat gebeurde allemaal op 29 juni.

Later zeiden ze dat het de heetste junidag ooit was.

Net voor de brug over de autoweg haalde Lucas ons in.

'Wat heb jij daar?' vroeg hij en hij wees naar Daniëls voorhoofd.

Daniël zweeg.

'Hij is gevallen', zei ik.

Lucas schudde zijn hoofd.

Voor hun huis stond een auto. Hij was zwart en toen we dichterbij kwamen, zag Lucas het doktersteken op de voorruit.

'Er is iets veranderd!' zei Daniël en hij begon te rennen. Net toen hij de deur open wilde doen, werd die van binnen geopend en stapte mijn moeder de zon in. Ze ging voor Daniël en Lucas staan.

'Jullie kunnen nu niet naar binnen', zei ze, en ze legde haar handen op hun schouders.

'Maar ik wil naar mama!' zei Lucas en zijn stem beefde. 'Ik moet mama toch mijn rekentoets laten zien!'

Mijn moeder duwde Lucas en Daniël zacht maar beslist de drie treden af.

'Dat gaat nu niet. Jullie komen eerst maar even mee naar ons huis.'

Daniël boog zijn hoofd en ik werd bang.

We zetten onze boekentassen in de gang en volgden mijn moeder naar de keuken. Ze pakte drie diepe borden uit de kast en vulde ze met groentesoep. Toen zette ze de borden op tafel.

'Ga zitten!' zei ze.

Ik kreeg hartkloppingen, want ze vroeg niet: 'Hoe was het op school?' Ze vroeg niet eens wat er met Daniëls hoofd was gebeurd. En dat zou ze anders het eerst hebben gevraagd, dat wist ik.

Daniël en Lucas zaten tegenover me aan de kop van de tafel. Mijn moeder ging naast me zitten. We hielden onze lepels in de hand, maar aten niet. We wachtten tot ze wat zei.

Toe mama, zeg toch iets, dacht ik. En alsof ze het gehoord had, haalde mijn moeder diep adem, ze keek Daniël en Lucas aan, schraapte haar keel en sprak.

Ik weet nog precies dat er in de soep kleine groene erwtjes en gele wortelschijfjes zwommen. En dat de duiven buiten luid koerden.

Ik herinner me nog de middagkreet van de pauw en dat een trekker ratelend over de houten brug rijdt. En dan zie ik altijd weer hoe Daniël en Lucas hun gezicht in hun soepbord laten zakken. Gewoon gelijktijdig voorover. En dan heffen ze hun hoofd weer op en een klein groen erwtje rolt langzaam over Daniëls wang als een kleine groene traan. Dat weet ik nog allemaal.

Maar ik weet niet meer hoe mijn moeder *het* gezegd heeft.

Hoe ze gezegd heeft dat Gisela dood zou gaan.

Hoe ze gezegd heeft dat er geen hoop meer was.

Hoe ze gezegd heeft dat het haar spijt.

Ik weet wel nog dat ze zegt dat Gisela nu slaapt en dat we haar niet mogen storen en dat Peter snel thuis komt en dat de dokter zolang blijft.

En dan zegt ze tegen de jongens: 'Gaan jullie je gezicht eens wassen!' en ze ruimt de tafel af en giet de soep gewoon weer in de kom, terwijl ze er toch met hun gezicht in hebben gelegen. En ik zie de handen van mijn moeder beven.

Daarna zijn we samen naar de ijssalon gereden en heeft ze voor ons het grootste ijsje van de wereld gekocht. Dat herhaalde ze in de auto telkens weer, alsof ze zich moed in moest spreken: 'Ik koop voor ons het grootste ijsje van de wereld! Ik koop het grootste ijsje van de wereld! Vast en zeker!' En daarbij probeerde ze te lachen.

Die middag hebben Lucas en Daniël geen rietvoorns uit het water gehaald. Die middag heeft mijn moeder de jaloezieën laten zakken en de zon buitengesloten. Ze heeft de ene sigaret na de andere gerookt en wij hebben voor de tv gelegen, met ons drieën ijs uit de slakom gelepeld en naar een sprookjesfilm gekeken. Bij de reclame begon Daniël opeens heel hard en vals mee te zingen: 'Wij geven haar toekomst een thuis!' en Lucas giechelde.

Die middag had ik graag bij mijn moeder op schoot gezeten. Maar als ik dichterbij schoof, schoof zij weg. Ze trok haar knieën op tot aan haar kin en stak een nieuwe sigaret op.

Toen Peters auto het plein opreed, ging mijn moeder er met Lucas en Daniël naartoe.

'Het kan laat worden!' zei ze. 'Als je nog honger hebt, smeer dan een boterham. Je hoeft niet op mij te wachten, ga maar gewoon naar bed!'

Toen streek ze door mijn haar, een beetje zoals je in het voorbijgaan een hond streelt.

Ik stond voor het raam en zag ze met z'n drietjes over het plein lopen. Mijn moeder liep in het midden, haar rode haren glommen in de avondzon. Daniël liep rechts, Lucas links. Mijn moeder had bij hen allebei een arm om de schouder geslagen, zoals een echte moeder dat doet.

Toen moest ik opeens aan het sprookje denken dat mijn vader me eens had voorgelezen toen hij me naar bed bracht. 'En broertje nam zusje bij de hand en zei: het hondje onder de tafel heeft het beter dan wij. God verhoede dat onze moeder dat te weten komt!'

Ik geloof niet dat ik mijn vader ooit zo erg heb gemist als die avond. Ik miste zijn diepe stem, ik miste zijn zachte buik. Ik miste zijn gezicht en ik miste de geur van zijn scheerzeep.

Ik miste zelfs zijn stomme spreuk waarvoor ik me vroeger schaamde: 'Ik kan toveren, zonder loveren, dat mijn hand naar kaka stinkt!'

Telkens als hij dat zei, haalde mijn moeder haar neus luidruchtig op, omdat zoiets niet hoorde.

'Denk toch eens aan het kind, Paul!'

Maar mijn vader had alleen maar gelachen en zijn spreuk nog eens herhaald.

Ik lag in mijn bed en zei zachtjes voor me uit: 'Ik kan toveren, zonder loveren, dat mijn hand naar kaka stinkt!'

En het hielp echt! Na de vijfde keer moest ik zelfs lachen en plots leek het een beetje alsof mijn vader eindelijk weer thuis was.

Toen we de volgende ochtend naar de schoolbus liepen, was alles bijna zoals altijd. Lucas trapte tegen een leeg colablikje en Daniël rook naar slaap. De zon scheen en over het uitgebloeide koolzaadveld lag een zinderend licht. Het zou weer heet worden. Dat hadden ze op de radio gezegd terwijl ik het bord cornflakes leegat dat mijn moeder voor me had klaargezet.

'Haast je!' had ze gezegd. 'Jullie moeten ervandoor!'

Ik had gezien dat haar ogen helemaal gezwollen waren, maar ik wilde niets vragen. En alles léék alleen maar zoals altijd, want toen we op de brug over de autoweg liepen, begon Daniël opeens te zingen. Onder ons denderden de vrachtwagens en Daniël zong: 'Wij geven haar toekomst een thuis!'

Dat had hij nog nooit gedaan, en toen ik hem vroeg waarom hij nu zong, grijnsde hij alleen maar verlegen en zei: 'Zit gewoon in mijn hoofd!'

We liepen zwijgend verder. Toen we de volgende straat overstaken, zei Daniël ineens: 'En ik ga niet naar binnen!'

'Waar?'

'In mama's kamer! Ik ga niet naar binnen!'

'Ik ook niet!' riep Lucas en hij rende achter het colablikje aan. 'Ik ga ook niet naar binnen! Jouw moeder wil dat we daar naar binnen gaan en mama goedenacht wensen. Maar we doen het niet en ze kan ons ook niet dwingen want ze is onze moeder niet!'

'En wat zegt Peter?' vroeg ik.

'Papa heeft gezegd dat jouw moeder zich er niet mee moet bemoeien!' riep Lucas. Hij trapte het blikje hard naar voren en rende weer weg.

Daniël zei niets meer, maar ik zag dat hij zijn vuisten had gebald.

Ik vond het oneerlijk wat Peter over mama had gezegd. Tenslotte was zij het toch die de hele tijd voor Lucas en Daniël had gezorgd. Ze hielp Lucas 's middags met zijn huiswerk. Ze bracht Daniël naar de bijles Engels in het dorp verderop. Peter was er toch haast nooit? Elke avond kwam hij later thuis.

'Hij is net zoals je vader, hij verstopt zich op kantoor!' had mama gezegd. 'Als je hem dan eens nodig hebt, maakt hij overuren!'

Ik vond het ook niet kloppen dat Daniël en Lucas Gisela niet eens goedenacht wilden wensen. Ik had medelijden met Gisela. Misschien had mama daarom wel gehuild.

Maar 's middags lachte mijn moeder weer.

'Hoe was het op school?'

'Goed!'

Ze goot de spaghetti in het vergiet en roerde door de tomatensaus. Toen veegde ze haar vingers schoon aan haar nieuwe schort en zei tegen Daniël en Lucas: 'Jullie vader en ik hebben iets bedacht. Iets voor jullie moeder! Jullie weten dat haar bed onder het raam staat, ze kijkt al een paar weken alleen tegen de kleerkast aan. Ze heeft wel nooit geklaagd, maar het is vast nogal saai als je altijd alleen maar de kleerkast kunt zien. En daarom hebben we vandaag een grote spiegel aan de kast gehangen. Het was helemaal niet zo makkelijk om de juiste hoek te vinden, maar het is gelukt! Ze kan nu vanuit haar bed het plein zien! Jullie kunnen je niet voorstellen hoe blij ze daarmee is! Ze heeft gelachen en gezegd: nu kan ik eindelijk zien wat mijn jongens uitspoken. Ze moeten niet denken dat ik nergens van weet alleen maar omdat ik hier altijd in bed lig te liggen!'

Heel even was het muisstil in onze keuken. Ik zag Daniël op zijn lip bijten. Dat deed ik ook altijd als ik moest huilen en niet wilde.

Lucas dacht na en zei toen langzaam: 'Maar... als mama ons in de spiegel op het plein kan zien... dan moet er toch een punt zijn... van waaruit wij ook mama in de spiegel kunnen zien!'

Hij plofte zijn elleboog in Daniëls ribben: 'Hé kerel, dat moeten we meteen uittesten!'

Hij trok Daniël mee, rende de keuken uit en samen struikelden ze de trappen af.

'En mijn eten?' riep mijn moeder. Ze kreeg geen antwoord.

Mama lachte en sloeg toen haar arm om mijn schouder. We keken uit het raam en zagen Daniël en Lucas heen en weer lopen over het plein.

Opeens bleven ze allebei staan. Lucas sprong op en neer en zwaaide wild en Daniël trok gekke bekken. Hij maakte een lange neus, stak zijn tong uit en hield zijn handen met gestrekte wijsvingers tegen zijn hoofd. Terwijl hij snoof als een stier.

'Kom, mussie, wij gaan vast eten', zei mama. 'Anders wordt onze spaghetti koud.'

Hier had ik de tijd graag stilgezet.

Hier, terwijl mama en ik alleen aan tafel zitten. Terwijl we Lucas buiten horen roepen: 'Ze heeft teruggezwaaid! Heb je 't gezien? Mama heeft teruggezwaaid!'

En Daniël stoot een indianenkreet uit, net als vroeger toen hij nog klein was.

Hier had ik graag de tijd stilgezet. Hier, terwijl er tomatensaus op mama's neus zit en ook op de mijne. Terwijl we elkaar aankijken en het uitproesten en ons verslikken van het lachen en hoesten tot we huilen.

Als ik hier de tijd had stilgezet, zou de snoek nog leven en Gisela ook. Dan zou ik Anna-Sofia geen aardbeienijs in het gezicht hebben geduwd en zou onze zomer nooit zijn geëindigd.

Hier had ik de tijd graag stilgezet, maar dat kan niemand. De tijd loopt gewoon door en dan komt de avond en dan wordt het ochtend en dan is er een onweer en dan schijnt de zon. Zo gaat dat met de tijd. En op een ochtend liggen de kastanjes bruin te glanzen onder de bomen, en dan wordt het winter, zo gaat dat.

Anna-Sofia Schulze-Wettering stond me bij de school op te wachten. Ze stak haar arm door de mijne en deed alsof we altijd al de beste vriendinnen waren geweest. Dat was de voorlaatste schooldag.

Anna-Sofia Schulze-Wettering met haar blauwe kattenogen en haar zomersproeten rook naar melk en open veld.

'Ik heb zin om vanmiddag naar de ijssalon te gaan. Ga je mee?'

Ik moest denken aan het grootste ijsje van de wereld en had eigenlijk geen zin, maar toch zei ik: 'Ja, graag, hoe laat?'

'Wat denk je van drie uur?'

'Prima,' zei ik, 'dat is goed.'

'Daarna kunnen we naar ons huis gaan', stelde Anna-Sofia voor. 'We hebben weer jonge katjes. Die zijn zo lief! Die moet je echt zien! Tot drie uur dan, voor de ijssalon!'

In haar gele zomerjurk zag ze eruit als een grote citroen-vlinder. En nog voor ik kon antwoorden, had ze me laten staan en fladderde ze over de speelplaats in de richting van Marie-Therese Schulze-Horn en Hubertus Schulze-Eschenbach.

Ik zag hoe ze hun koppen bij elkaar staken en lachten, en ik wilde bij hen horen.

'Wat wou ze?' vroeg Daniël.

'Vrouwenzaken!' antwoordde ik en ik liep naar het school-gebouw.

'En niet te laat thuis!' riep mijn moeder toen ik de trap afren-de. 'Niet te laat thuis! Hoor je me?'

'Ja, mama!'

Ik trok de deur achter me dicht en haalde opgelucht adem. Omdat ze niet uit de keuken was gekomen. Want ik had haar allermooiste gele T-shirt aangetrokken en dat had ze me vast niet uit zichzelf geleend. Maar vandaag moest ik het wel aan-trekken, want ik wilde op Anna-Sofia lijken.

Daniël en Lucas stonden over de brugleuning gebogen, de emmer rietvoorns naast hen.

'Ik zie hem!' riep Lucas opgewonden en hij wees naar het groene water. 'Daar! Daar zwemt hij! Het is een reus, man! Kom, Daniël, we halen hem eruit!'

Maar Daniël schudde zijn hoofd.

'Vandaag nog niet! Morgen! Morgen begint het visseizoen!'

'Alsof dat een verschil maakt!' meesmuilde Lucas. 'Een dag vroeger of later! Dat merkt die snoek toch niet! Geef maar toe dat je gewoon te laf bent!'

'Morgen!' zei Daniël. 'En geen dag eerder!'

Ik stapte op mijn fiets.

'Waar ga jij naar toe?' vroeg Lucas.

Ik duwde op de pedalen en antwoordde niet.

Ik wil weg, dacht ik, alleen maar weg! En het leek alsof achter het park van het kasteel een ander land begon, een land waar geen snoeken waren, geen tranen en geen zuurstofflessen. En naar dat land ging ik nu, een land waar je hard kon lachen en zachtjes giechelen, waar je katten aaide en over jongens praatte. Daar ging ik heen en daar wilde ik blijven.

Anna-Sofia stond al in haar citroenvlinderjurk voor de ijssalon te wachten.

'Ha, eindelijk!' zei ze en ze giechelde. 'Ik neem chocoladenootjes en jij?'

'Aardbei-vanille.'

'Pronto, signorine!' lachte de Italiaanse ijsman.

'Cioccolata-nocciola e fragola-vanilla!'

Dat deed hij altijd, de bestellingen herhalen in het Italiaans. Daniël en ik vonden dat opwindend, omdat zo een stukje van de grote wijde wereld ons dorp kwam binnenwaaien. Maar Anna-Sofia rolde met haar ogen. 'Stomme spaghettivreter!' siste ze. 'Hij is hier nu al zo lang en kent nog altijd onze taal niet!'

Ik wilde de ijsman verdedigen, maar ik durfde niet. En Anna-Sofia had me al naar het hoektafeltje getrokken en was al naast me op de zachte, groene bank geploft.

'Maar ijs maken, dat kunnen die spaghettivreters wel!' zei ze.

Ik knikte.

Ze schoof naar me toe.

'Vertel eens, hoe is het nu met Daniëls moeder?'

'Waarom? Hoe zou het dan zijn?'

'Je weet wel! Dat weet toch iedereen!'

Ik schoof van haar weg. 'Heb je me daarom hier uitgenodigd?'

'Stel je niet zo aan', zei Anna-Sofia Schulze-Wettering. 'Ik wil toch alleen maar weten of het waar is?'

'Of wat waar is?'

'Of het waar is dat als Daniëls moeder gestorven is, zijn vader met jouw moeder trouwt!'

'Ben je gek geworden?'

'Maar iedereen zegt het!'

Ik sprong op.

'Die zijn zeker niet goed snik?'

Anna-Sofia trok me terug op de bank.

'Rustig aan! Wist je daar echt niets van?'

Ik schudde mijn hoofd.

'Tja, zo gaat het vaak! De mensen om wie het gaat, weten het pas als laatste!'

Anna-Sofia glimlachte. Het was zo'n glimlach als leraren hadden wanneer ik een volkomen fout antwoord had gegeven. Haar glimlach maakte me hulpeloos en woedend.

'En waarom zeggen ze dat?' vroeg ik.

'Omdat je moeder altijd bij Daniëls vader is. Tot diep in de nacht. En daar wordt over gekletst!'

'Maar ze is toch bij Gisela! Daniëls vader is er meestal niet eens!'

Anna-Sofia trok haar wenkbrauwen op.

'En waarom gaat Gisela dan niet naar het ziekenhuis? Dat zou toch veel praktischer zijn. Daar zou ze toch alles krijgen wat ze nodig heeft. Mijn moeder zegt dat het egoïstisch is om andere mensen zo te gebruiken. En Daniël en Lucas hoeven er toch ook niet met hun neus bovenop te zitten, op die hele ellende, zegt mijn moeder. Daar zijn ziekenhuizen toch voor!'

Ik werd steeds kwader. Natuurlijk had ik daar ook al wel eens aan gedacht. Maar in het ziekenhuis zouden ze voor Gisela zeker geen spiegel aan de kast hebben gehangen. En als ik zelf mocht kiezen, zou ik ook liever in mijn eigen bed liggen.

Anna-Sofia giechelde.

'En klopt het eigenlijk dat Daniëls moeder nu pampers draagt, zoals een baby? Mijn moeder zegt dat ze minstens drie keer per dag verschoond wordt. Dat moet toch stinken! Als ik jouw moeder was, zou ik moeten kotsen!' Ze huiverde.

Op dat ogenblik brak er iets in mij. Het piepte in mijn hoofd, zoals autobanden als je hard moet remmen. Mijn hart klopte in mijn oren en mijn ogen werden scherper. Ik zag Anna-Sofia's citroenvlinderjurk oplichten en haar grijnzende smoel en die stomme zomersproeten.

En mijn hand met het ijsje ging helemaal vanzelf omhoog en ik hield het vast als een omgekeerd mes en duwde het precies tussen de twee blauwe kattenogen van Anna-Sofia Schulze-Wettering. Ik hoorde het koekje breken en Anna-Sofia schreeuwen. De half gesmolten aardbei-vanillepap gleed over haar neus vol zomersproeten en drupte op haar citroenvlinderjurk.

'Daar zul je voor boeten, stomme koe!' krijste Anna-Sofia. 'Daar zul je voor boeten!' Haar stem sloeg over van woede.

'Madonna mia!' riep de Italiaanse ijsman.

Maar toen was ik alweer op mijn fiets gesprongen en trapte ik op de pedalen alsof de duivel me op de hielen zat.

Maar de duivel zat me niet op de hielen, hij stond plots voor me. Alsof hij uit de grond was opgeschoten, zo stond hij daar. Ik moest hard remmen en vloog haast over het stuur.

En de duivel leek op de opzichter. Zware jachtlaarzen en een groene kniebroek, de handen op de heupen. Met woedende visogen keek hij me aan. Zijn gezicht was helemaal rood en de aders op zijn voorhoofd waren gezwollen. Hij begon te brullen. Wat ik wel dacht! Dat het hier een parkweg was voor wandelaars en geen racebaan voor halfwas jongeren!

Ik weet nog goed dat hij 'halfwas' zei en ik weet ook nog dat dat woord me deed grijnzen.

De opzichter hapte naar adem.

'Potverdorie! En nog brutaal grijnzen ook! Dat is toch wel het toppunt! Dat komt er nu van als je moeder andere bezigheden heeft en zich niet om jou bekommert. Je kunt je moeder zeggen dat ze nog van me zal horen! Schriftelijk!'

Ook dat nog, dacht ik.

'Er zijn van die dagen, dan krijg je geen poot aan de grond', zei mijn vader altijd. Dat was in de tijd dat hij me over de bakkeluten vertelde.

Ik herinner me dat hij me op schoot nam en dat we lang uit het raam keken, en dat ik vroeg: 'Papa, wat zijn dat eigenlijk, bakkeluten?'

En hij had gezucht en gezegd: 'Dat zijn heel rare mensen, die doen altijd alles na wat iemand voordoet!'

'Alles?' had ik gevraagd.

'Alles, koraaltje!'

'En als iemand op één been staat?'

'Dan gaan alle andere bakkeluten op één been staan!'

'En als iemand omvalt?'

'Dan vallen alle andere bakkeluten ook om!'

'En als iemand een schilderij maakt?'

'Dan maken alle andere bakkeluten ook een schilderij!'

'Allemaal, papa?'

'Allemaal!'

'Maar wij zijn geen bakkeluten?'

'Nee, koraaltje', had papa gezegd. 'Wij zijn geen bakkeluten!'

Ik had wekenlang aan die bakkeluten gedacht, ik had me voorgesteld waar ze ergens woonden en wat ze zoal nadeden en hoe ze er zouden uitzien. Toen had ik dat een leuk spel gevonden.

Maar toen wist ik ook nog niet dat er écht bakkeluten bestonden. Nu vielen de schellen me van de ogen: Anna-Sofia was een bakkeluut en de opzichter en Anna-Sofia's moeder en iedereen die over mijn moeder roddelde zonder er iets van te weten.

'Iedereen zegt dat jouw moeder met Daniëls vader trouwt!' had Anna-Sofia gezegd.

Iedereen. Allemaal bakkeluten.

'Je bent snel terug!' zei mijn moeder. Ze zat in de tuinstoel aan de molenstenen tafel voor het huis, met haar benen omhoog. 'En? Was het leuk?'

Ik antwoordde niet maar ik ging ook niet naar binnen. Ik stond daar maar en tekende met de punt van mijn schoen lijnen in het stof. Eigenlijk wachtte ik tot ze me een standje zou geven over haar gele T-shirt.

Maar ze gaf me geen standje, ze keek me lang aan en zei: 'Staat je goed, dat T-shirt! Wil je het hebben?'

En toen ben ik beginnen te huilen en is zij opgestaan en heeft ze me in haar armen genomen.

'Zo erg?' vroeg ze.

'Erger!' snikte ik.

En ze heeft me vastgehouden en gewiegd en het lievekleine-gansjeslied voor me gezongen, net als vroeger.

Lief, klein gansje,
alles komt weer goed.
Het katje doet een dansje,
alles komt weer goed.
Lief, klein muisbeleg,
na honderd jaar is alles weg.

En toen heb ik haar alles verteld. Alles wat Anna-Sofia had gezegd en wat de mensen roddelden. En toen ik vertelde hoe ik Anna-Sofia het ijsje tussen de ogen had geduwd, begon mijn moeder hard te lachen en vrolijk in de handen te klappen. 'Fantastisch!' riep ze. 'En over de opzichter hoef je je geen zorgen te maken! Dat regel ik wel!'

'En dat andere verhaal?' vroeg ik. 'Met Peter?'

'Bakkelutenkak!' antwoordde mijn moeder.

Die avond heb ik Gisela voor het laatst gezien.

Mijn moeder stond in de keuken en maakte boterhammen met leverworst voor ons.

'Je kunt er nog eens over nadenken', zei ze. 'Maar Gisela heeft al zo vaak naar je gevraagd. Je zou haar echt een groot plezier doen!'

Daniël en Lucas zaten op onze keukenbank en keken me aan. Ik kon precies zien wat ze dachten. Ik kon zien dat ze me de grootste lafaard van de wereld vonden. Want zij gingen wel weer Gisela's kamer binnen. Mijn moeder had me verteld dat Lucas zelfs bij haar in bed was gekropen.

En ja, het klopte wat Daniël en Lucas dachten: ik was een lafbek. Maar ik was zo vreselijk bang om Gisela te zien.

Buiten koerden de duiven.

Morgen begon de vakantie.

En morgen zou Daniël de snoek vangen.

Maar als de snoekgod echt bestond, zou Gisela in elk geval weer beter worden en kon ik later nog vaak genoeg naar haar toe gaan... als de snoekgod echt bestond!

Mijn moeder wierp me een blik toe.

'Hou op met dat nagelbijten!'

Buiten schreeuwden de pauwen de avond stuk.

Maar als de snoekgod niet bestond, zou ik misschien voor altijd en eeuwig met mijn slechte geweten moeten rondlopen. Dat zou dan zoiets worden als mijn hondenangst. Die plakte ook aan me vast, als veren aan pek – al had mijn vader me verklapt hoe ik ervan af kon komen. Als de snoekgod niet bestond, was vanavond misschien mijn laatste kans om Gisela een pleziertje te doen. Maar ik wist niet wat ik moest kiezen. Want eigenlijk was het meteen ook een keuze voor of tegen de snoekgod.

'Nu stop je met dat nagelbijten!' zei mijn moeder.

Geschrokken haalde ik mijn vinger uit mijn mond.

'Wij geven haar toekomst een thuis!' floot Daniël. Toen grijnsde hij.

Als de pauw nu roept, ga ik mee naar Gisela, dacht ik. En net toen ik dat dacht, reed de auto van de opzichter over de ophaalbrug en riep de pauw zo luid dat mijn oren ervan tuitten.

Die avond heb ik Gisela voor het laatst gezien.

Ze lag zo klein in dat grote witte bed en ze leek helemaal niet op Gisela. Niet op de Gisela die ik kende. Haar armen waren erg dun geworden en ze kon haar ene hand niet open krijgen. Het doorzichtige zuurstofmasker bedekte haar neus en haar licht geopende mond, en zat heel strak aan haar kin. Ook haar ogen zagen er anders uit. Ze waren veel groter en donkerder, en toen ze me aankeek, had ik het gevoel dat ze met die ogen gaten in mijn gezicht zou branden.

Ik hield mama's hand stevig vast, maar mama maakte zich los en duwde me naar voren, naar de rand van het bed. Ik zag Gisela onder het zuurstofmasker glimlachen. Met haar goede hand wenkte ze me dichterbij. Ik boog me naar haar toe en toen nam ze het zuurstofmasker af en fluisterde: 'Ik ben zo blij dat je gekomen bent, meisje van me!'

Ik zag de tranen glinsteren in haar ogen en ik wist niet wat ik moest zeggen, dus zei ik niets. Maar Gisela trok me gewoon naar zich toe en gaf me een kus. En haar arm om mijn schouder was zo licht als een veertje.

En toen was het voorbij.

Mijn moeder hielp Gisela het masker weer opzetten en vroeg of ze nog een beetje aardbeienmoes wilde. Maar Gisela schudde het hoofd en Lucas wierp zich op de andere kant van het bed en zei: 'Morgen vangen we de snoek, mama! Je zult wel zien. Hij is zóóóóó groot!'

Gisela rolde met haar ogen en schudde haar hoofd weer. Daniël stond stuntelig aan het voeteneinde en grijnsde verlegen.

En intussen siste bij elke ademtocht van Gisela de lucht uit de zuurstoffles. Het leek een beetje op een stoomtrein die uit het station vertrekt.

'Zo', zei mijn moeder tegen Daniël en Lucas. 'Wens jullie mama nu maar goedenacht. En dan naar de badkamer en niet vergeten je tanden te poetsen!'

Ze sloeg haar arm om me heen.

'Jij gaat ook vast naar huis, ik kom straks wel.'

Toen ik in de deuropening stond en nog eens omkeek, stak Gisela haar arm op en zwaaide ze naar me, zoals vroeger achter het raam van haar kantoor. En net als vroeger zwaaide ik gewoon terug.

'Potverdorie!' mopperde mijn moeder. 'Dan doet een mens moeite om eten klaar te maken, dan sta je de hele ochtend aan het fornuis en jullie kunnen alleen maar aan vissen denken!'

'Snoeken!' mompelde Lucas.

'Nu bijten ze het best!' zei Daniël.

'En we kunnen toch ook vanavond warm eten! Toe, mama?'

Mijn moeder zuchtte en stak een sigaret op en ik liep naar haar toe en pakte haar heel stevig vast.

'Wees toch niet altijd zo onstuimig!' lachte ze en ze haakte zich los. 'Vooruit, maken jullie je dan maar uit de voeten!'

We stoven de keuken uit.

'Maar mijn beste mes wel mee terugnemen! Horen jullie dat?'

En toen lagen we alle drie op onze buik op de stenen brug-leuning en staarden we naar het water. De zon brandde op onze rug. Een meerkoet vloog schokkend onder de brug door en Lucas gooide broodkruimels in het water. Daniël liet het vangnet langzaam zakken.

Het water onder ons begon te borrelen. De rietvoorns hap-ten gretig naar de kruimels en Lucas riep: 'Haal toch op, man!'

Het net draaide razendsnel in het rond. Als een rietvoorn-carrousel. Ik werd al duizelig van het kijken alleen.

Lucas hield de emmer schuin en Daniël schudde het net leeg.

Toen zei Daniël: 'Die daar, die middelste, die ziet er goed uit!'

Lucas pakte de rietvoorn uit de emmer. Met duim en wijs-vinger sperde hij de bek open.

En terwijl de rietvoorn eruitzag alsof hij 'O' zou zeggen, stak Lucas de snoekhaak door zijn bovenlip.

Ik kromp in elkaar toen ik het zachte gekraak hoorde. De haak zat op zijn plaats.

Daniël stootte me aan. 'Hij heeft er niks van gemerkt!' zei hij. 'Ze hebben daar geen zenuwen!'

Ik wist dat dat niet waar was, want in het hengelboek stond dat vissen wel pijn voelen en dat hengelen met levend aas weliswaar effectief maar ook wreed was. Precies zo stond het er, maar ik zei niets. Ik was blij toen Daniël het hengel-touw met de zich krommende rietvoorn weer in het water wierp.

En toen wachtten we. Daniël vierde de lijn, de rietvoorn zwom een eindje door de gracht en we konden zijn spoor volgen. Boven ons vloog een blauwe reiger die zich spiegelde in het zwart.

Toen we het spoor niet meer zagen, trok Daniël de lijn strak, om te controleren of de rietvoorn nog spartelde. Hij sloeg met zijn staart en probeerde weer weg te duiken.

'Dat wordt niks!' zei Lucas. 'Als hij niet meteen bijt, bijt hij nooit!'

Daniël vierde de lijn.

'Pas toch op, man!' riep Lucas. 'Hij zwemt naar het struikgewas.'

Op de oever groeiden kleine struiken en de oude kastanje boog zijn dikke takken haast tot aan het wateroppervlak. Het leek alsof die takken wilden drinken. De klimop die eromheen groeide, reikte tot diep onder water. En precies daarheen probeerde de rietvoorn te vluchten.

En toen ging alles razendsnel.

Een fractie van een seconde zagen we de zilveren buik onder het wateroppervlak oplichten. Een oogopslag lang was te zien hoe de grote snoek zijn bek met de dubbele tandenrij ver opensperde. Toen zagen we alleen nog de kringen in het water en de strakgespannen lijn, die door Daniëls vingers gleed. De snoek dook weg.

'We hebben hem!'

De molen danste in Daniëls hand terwijl hij het touw liet afrollen.

'Aantrekken!' riep Lucas. 'Trek nu toch eindelijk eens aan!'

Maar Daniël schudde zijn hoofd.

'Hij heeft tijd nodig! Hij moet eerst slikken! Anders spuugt hij de haak weer uit!'

'Zal ik het schepnet nemen?' vroeg Lucas.

Daniël knikte.

Lucas klauterde met het net de glooiing af. Achter ons reed een auto naar het kasteel. Ik zag dat hij zwart was, maar we letten er verder niet op.

'Je zit op de goede plaats!' riep Daniël Lucas toe. 'Ik trek hem daarheen!'

Lucas schoof het schepnet onder het wateroppervlak. Hij beet op zijn lip en staarde geboeid naar het hengeltouw.

Met een ruk trok Daniël aan.

De lijn spande zich, alsof hij zou breken.

En toen dook de snoek op.

Hij was veel groter dan ik had gedacht. Veel groter dan op de foto's in het hengelboek. Hij vocht en zwiepte met zijn staart en trok en rukte aan de lijn, maar Daniël liet niet los. Meter voor meter trok hij de snoek naar de oever. En de snoek richtte zich op en heel even hoopte ik dat de lijn zou breken, maar toen had Lucas het schepnet al onder zijn buik geschoven en de snoek lag in het net.

Hij kromde zich en beet in de mazen, hij probeerde het net stuk te trekken.

'We hebben hem, man!' riep Lucas. 'We hebben hem echt!'

Daniël rende naar de glooiing en samen hielden ze het net vast en trokken ze het op de brug. De snoek lag nu stil, zijn kolossale kieuwen klapten open en dicht. Hij had een reusachtige bek en ik zag zijn tanden, ze stonden dicht bij elkaar, honderden, en ze waren allemaal even scherp als de scheurkiezen van een kat.

De snoek was mooi. Hij glinsterde zilvergroen en zag er wild en gevaarlijk uit. Zelfs nu nog, halfdood.

Daniël nam een knuppel.

Ik draaide me om.

Ik wilde niet zien hoe Daniël toesloeg. Ik wilde niet zien hoe het keukenmes zich door de kop van de snoek boorde. Ik wilde het hart van de snoek niet zien kloppen in Daniëls hand.

Ik keek naar boven. De hemel boven het rode dak van het kasteel was hoog en oneindig blauw. In de dakgoot zaten de duiven. Ik zag ons keukenraam. Het was dicht nu. Mijn moeder stond achter het glas, ze rookte en huilde.

Ik liep langzaam naar de kasteelpoort. Voor Gisela's huis stond de auto van de dokter. De voordeur stond open.

Ik zag hoe Peter de drie treden af ging. Hij hield zijn hoofd gebogen en stapte als een oude man, heel langzaam, heel moe. Hij liep vlak langs me, maar zag me niet.

En toen hoorde ik Lucas roepen: 'Papa! We hebben hem! Papa, kijk eens hoe groot hij is!'

En ik draaide me om. Peter zat op zijn knieën en omarmde zijn jongens. Ze hadden hun voorhoofden tegen elkaar gelegd en ik zag Peters rug en zijn snikken.

En naast hen in het stof lag de snoek.

Ik boog me over de brug en staarde naar het water.

Twee libellen dansten voorbij, een meerkoet duikelde en een school kleine rietvoorns lag zich net onder het wateroppervlak te koesteren in de zon.

Alles was zoals altijd, alles was alsof er niets was gebeurd.

www.lannoo.com/ kindenjeugd
© Carl Hanser Verlag 2004
©Nederlandse vertaling, Uitgeverij Lannoo nv, Tielt, 2005
Vertaald uit het Duits door Kristien Dreesen
Omslagontwerp Studio Lannoo
D/2005/ 45/ 174 ISBN 90 209 6042 3 NUR 283, 284